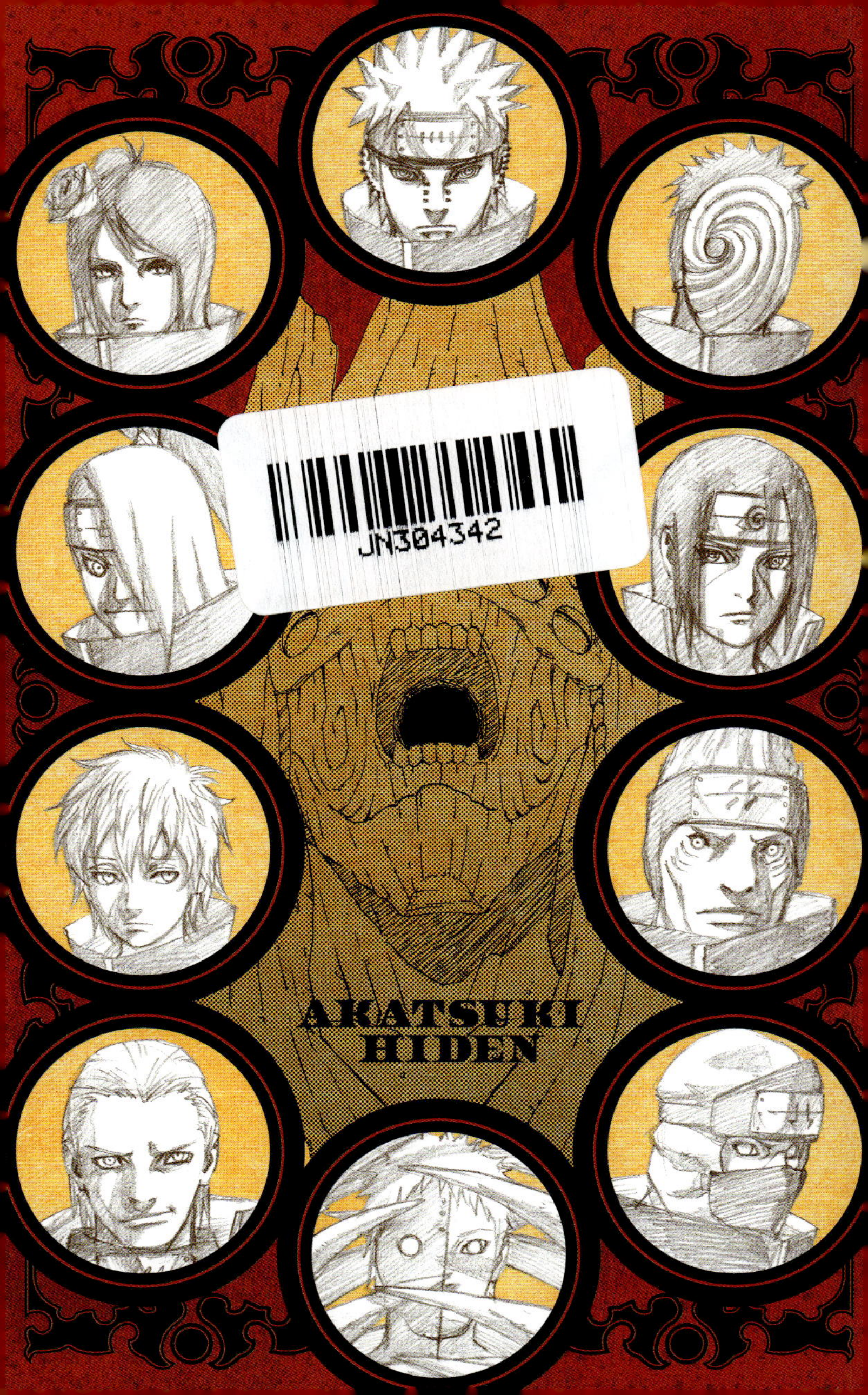
AKATSUKI
HIDEN

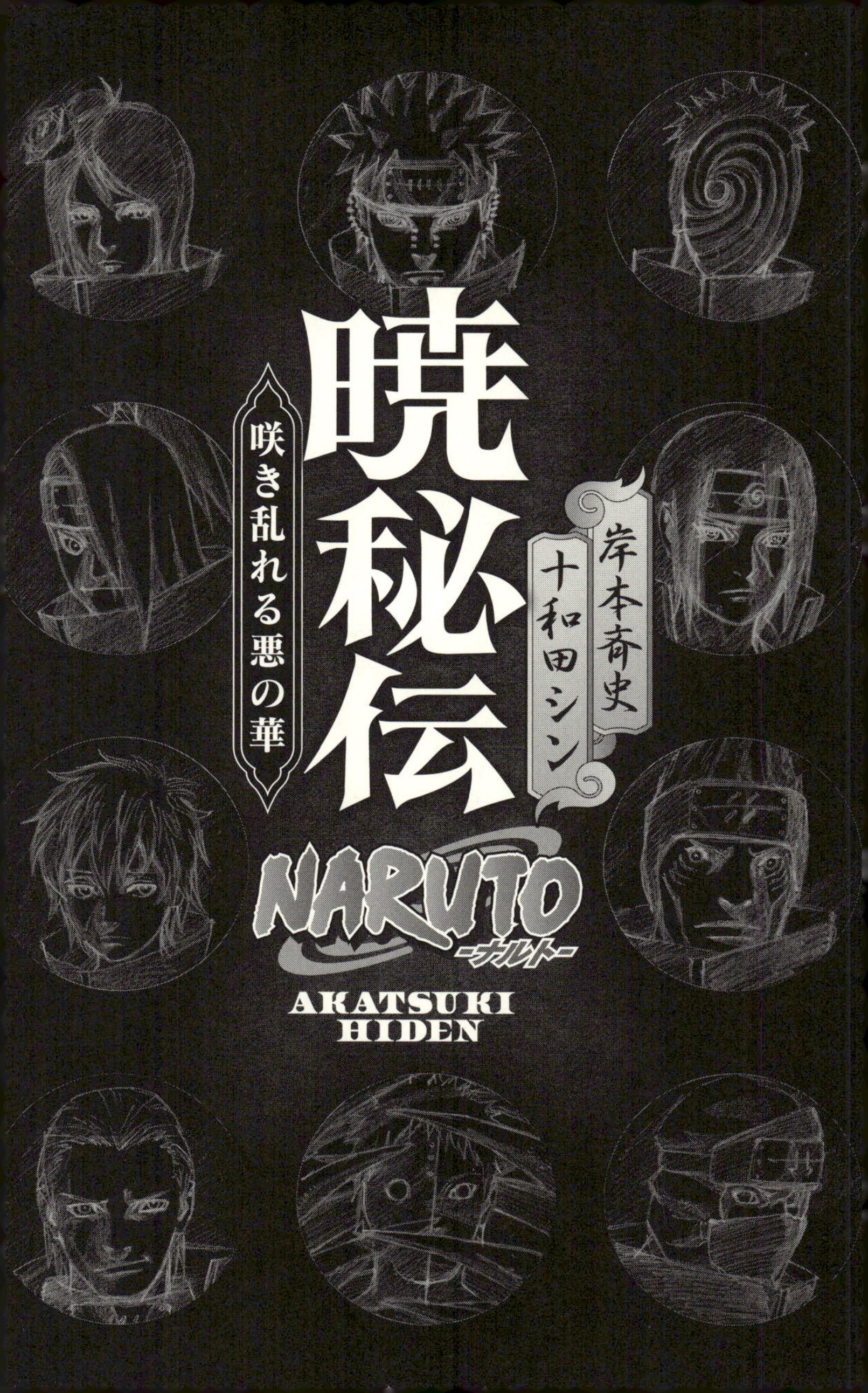

暁秘伝

咲き乱れる悪の華

岸本斉史
十和田シン

NARUTO
-ナルト-

AKATSUKI HIDEN

目次

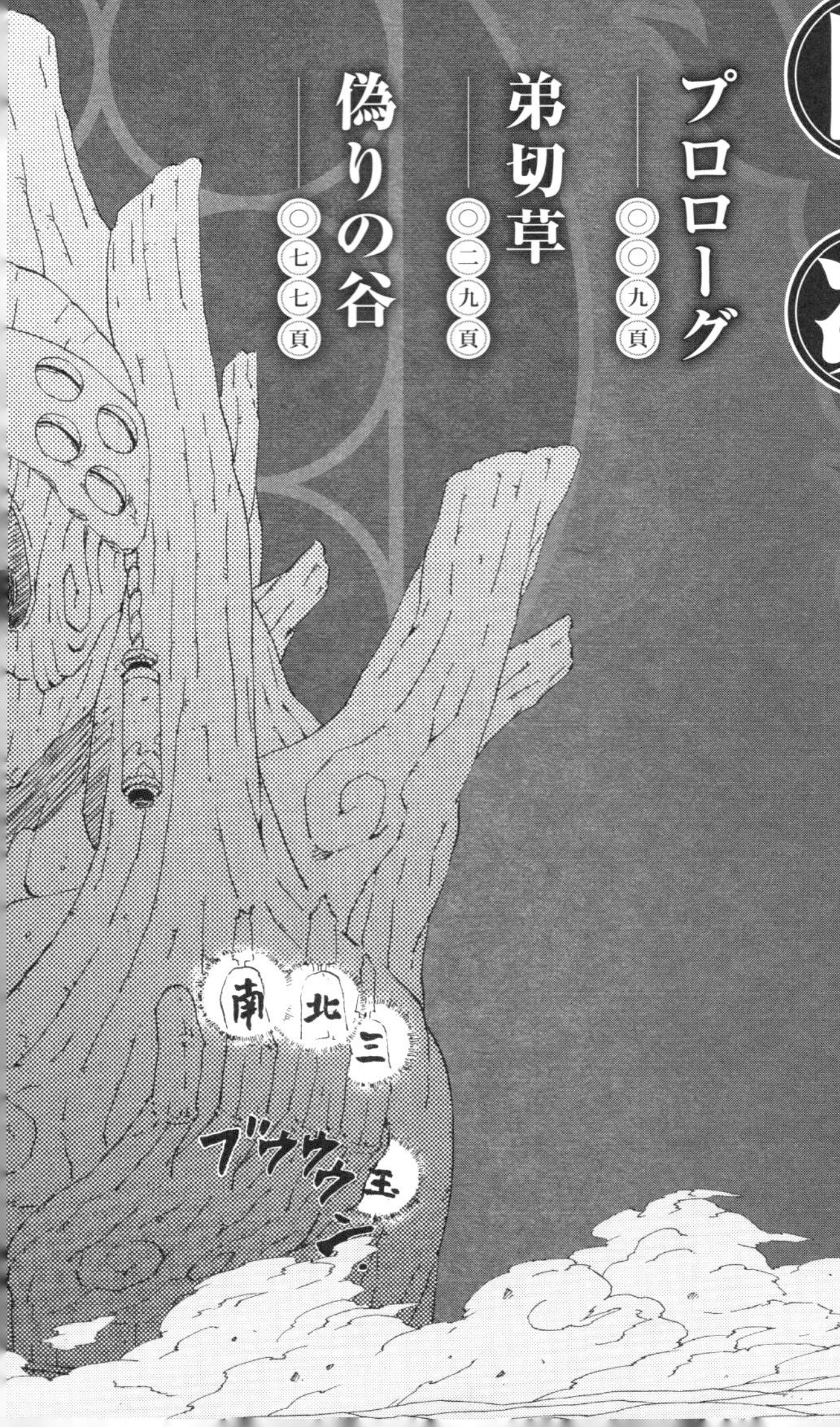

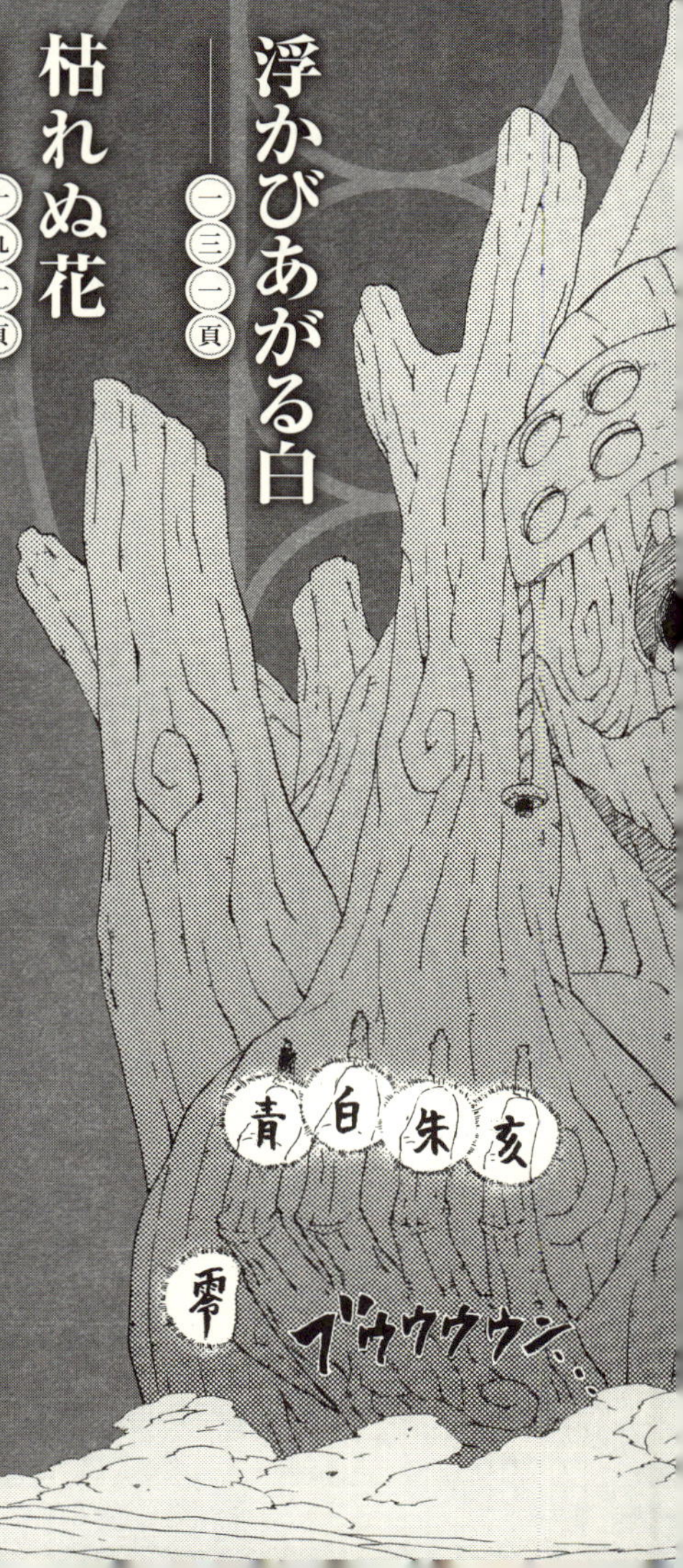

青白朱亥
零
ブウウウウン…

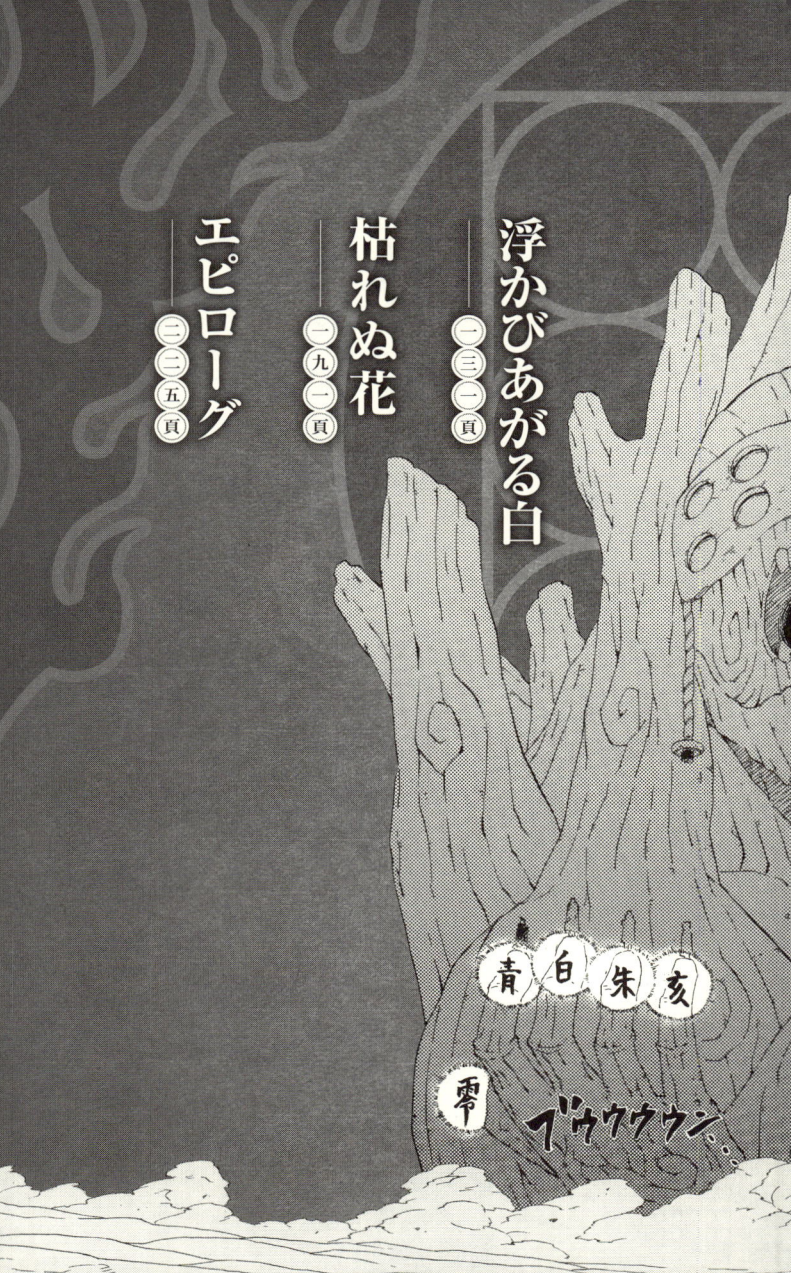

人物紹介

うちはイタチ
木ノ葉隠れの里出身の忍
小《コ》南《ナン》
雨隠れの里出身の忍
ペイン
雨隠れの里出身の忍
角《カク》都《ズ》
滝隠れの里出身の忍
サソリ
砂隠れの里出身の忍

トビ
仮面の男
ゼツ
謎の男
うちはサスケ
木ノ葉隠れの里の忍
干《ほし》柿《がき》鬼《キ》鮫《サメ》
霧隠れの里出身の忍
飛《ヒ》段《ダン》
湯隠れの里出身の忍
デイダラ
岩隠れの里出身の忍

プロローグ

1

空を覆《おお》う闇羽衣《やみはごろも》。静かにきらめく満天星《まんてんぼし》。
穏《おだ》やかに見守る白銀の月はゆりかごのように優しく人を包みこむ。
しかし、月光は人の足下《あしもと》を照らすにはあまりにも心許《こころもと》ない。
光が必要だ。進むべき道を照らす強い光が。
そんな人々の願いを叶《かな》えるように闇《やみ》は次第《しだい》に海の向こう、山の果てに追いやられる。
星は逃げ、月は隠れて、夜に終わりを告げるもの。
始まりの光——〝暁《あかつき》〟。
かつてその光が忍界《にんかい》を焼きつくそうとした。

谷底を流れる川の水しぶきが風にさらわれ舞いあがる。

ここは渓谷《けいこく》に沿《そ》うように広がる豊かな森。枝葉を伸ばす大樹は樹齢数百年はあるだろう。

そんな木々の隙間《すきま》から微《かす》かに零《こぼ》れる光を感じつつ確かな足取りで進む者がいる。

精悍《せいかん》な顔立ちに、強い力を宿した瞳《ひとみ》。少年と言うには大人《おとな》びていて、大人と言うにはまだ青葉の若さがある彼は、名前をうちはサスケといった。

復讐心《ふくしゅうしん》に駆られ、全《すべ》てを憎み、何もかも切り捨て一人生きていこうとしていたのは少し前の話。

今は己《おのれ》の罪《つみ》を知り、自分自身を、そしてこの忍界《にんかい》を見つめ直すために一人旅をしている。

闇《やみ》に囚《とら》われていたサスケがこうやって木漏《こも》れ日《び》を浴びながら穏《おだ》やかに歩けるようになったのは、木《こ》ノ葉《は》隠《がく》れの太陽とも言うべき存在、うずまきナルトのおかげだった。

サスケが断《た》ち切《き》ろうとした繋《つな》がりを必死で食い止め繋ぎ止め、決して放さなかったナルト。彼のおかげで今の自分がいる。

支えてくれたのはナルトだけではない。

何度冷たく突き放そうとも、サスケの凍《い》てついた心に春の日差しを与えようとひたむきに愛してくれた春野《はるの》サクラ。

サスケの師として、忍《しのび》として、葛藤《かっとう》しながらも第七班の一員としてサスケを見守り続け、今もサスケを信頼し、世界を見る自由を与えてくれたはたけカカシ。

他にも多くの人の助けがあった。今、それを実感できている。

「……ん……？」

森の清涼《せいりょう》な空気を吸いながら進んでいると、木の幹《みき》が折《お》り重《かさ》なるように並んでいた視界の先に強い光を感じた。

「あそこで森は終わりか」

光のほうへ進み、森を出ると意外な光景が広がる。そこにはサスケの背丈《せたけ》程度の若木が一面に広がっていたのだ。

「……森の子供か」

太陽の光をさんさんと浴びる若木の様子《ようす》にそんなことを思う。しかもそれだけではない。

「白い花……」

若木の根本に、白く美しい花が絨毯《じゅうたん》のように咲き乱れていたのだ。

吹き抜ける風が花の甘い香りを運んでくる。その景色に誘われるようにサスケは若木に近づき花を見下ろした。不思議なもので、花を見ていると穏やかな気持ちになる。

　昔のサスケだったらこんな風《ふう》に景色を楽しむことなどなかっただろう。花の存在にさえ気づかなかったに違いない。

　こうやって様々なものを見落としてきたのだろうと思いながら、サスケは花を踏まぬように足を踏みだす。

「行くぞぉー、紙手裏剣《かみしゅりけん》だぁッ！」

　そんなサスケの耳に、威勢のいい声が聞こえてきた。反射的にそちらを見ると幼い少年が若木の合間を縫《ぬ》うようにして走っている。年は七、八歳だろうか。しましま模様の帽子を被《かぶ》っていた。

「シュシュシュシュシュシュンー！」

　少年は自《みずか》ら効果音を叫びながら力一杯何かを投げている。よくよく見ればそれは紙を折って作った紙手裏剣のようだ。当然、殺傷能力はない。

　少年は真《ま》っ直《す》ぐ飛ばしたいのだろうが、すぐ近くの谷底から吹きあがる風に煽《あお》られ、紙手裏剣は四方八方に散っていた。

「うわああああ、やーらーれーたー！」

　そこでまた別の声が聞こえる。少年から少し離れた場所に、また別の少年が立っていたのだ。こちらは十歳を超えているだろう。賢《かしこ》そうな顔をしているが、まるで紙手裏剣が当たったかのように胸を押さえよろめいている。

「どーだぁ！　コミツの紙手裏剣殺法だぞぉ。オオミツ兄ちゃんも一撃ドッカーンだ！」

「……コミツ。ドッカーンって言葉だと、手裏剣っぽくないですよ」

どうやらこの二人は兄弟で、兄がオオミツ、弟はコミツというらしい。

「じゃあ今度はボクの番ですね」

オオミツは散らばった紙手裏剣を一つ拾いあげ、コミツにヒラヒラと振ってみせた。コミツは「ノタノタ避《よ》けてやるぞぉ！」と叫びながら逃げていく。

「ノタノタじゃ当たっちゃいますよー」

オオミツはニコニコと笑いながら弟を見つめ、紙手裏剣をふわりと投げた。紙手裏剣は上手《うま》く風を捉《とら》え、緩《ゆる》やかな放物線を描きながら飛んでいく。

「あたッ！」

そして、帽子を被ったコミツの頭に見事ヒットした。

「なんだよー、なんで当たるんだよー、わいたたたただよぉー」

「それを言うならあいたたたでしょ。そもそも痛くないでしょうし」

「そんなことないよ、手裏剣、頭に突き刺さってるよぉ、ボッサボサだよぉ」

「グッサグサね。ほら、足下《あしもと》に落ちてますよ」

オオミツは花の上に落ちた紙手裏剣を指さす。

「あーあ、オレもオオミツ兄ちゃんみたいに格好《かっこ》よく飛ばしたいなぁ。オオミツ兄ちゃん、何かボツでもあるの？」

コミツは紙手裏剣を見下ろし悔《く》しそうに言う。

「コツね。んー……運がよかっただけですよ」

「嘘《うそ》だぁ！　ねぇねぇ、オレにも教えてよぉ！」

駄々《だだ》をこねるコミツにオオミツは困ったように微笑《ほほえ》んで、ぽんぽんと頭を撫《な》でた。

「…………」

そのしぐさが、表情が、サスケに過去の自分を思いださせる。尊敬する兄、イタチを追い、駆け回っていた頃の自分だ。

「なんだよぉ、いっつも子供扱《あつか》いして！　オレだってやるときはやれるんだぞぉ！」

コミツは憤慨《ふんがい》した様子で足下の紙手裏剣を取ろうとした。

「あ」

しかし、山側から吹いた風が紙手裏剣をさらっていく。

「おいおい、待ってよ！」

コミツは両手を伸ばして、花の上をすべるように転がっていく紙手裏剣を追った。その目には紙手裏剣しか映っていない。紙手裏剣は止まらない。

「……！　コミツッ！」

オオミツの表情がさっと青ざめた。

「コミツッ！　そっちは崖《がけ》が……！」

ここは渓谷、谷の上。コミツが顔を上げたときには崖の縁《ふち》。

「う、うわああ！」

谷底を見たコミツは恐怖に体が竦《すく》む。

「コミツ！」

オオミツが駆けだしたところで、山側から谷の方へといっそう強い風が吹き抜けた。風は花びらを飛び散らせただけではなく、動けなくなっていたコミツの体にも叩《たた》きつける。

「うわわわわ……！」

コミツの体が押されるように谷底へと傾いた。

「コミツううううう――ッ!!」

オオミツがコミツに必死で手を伸ばすが、すんでのところで届かない。

「うああああああああ！」

コミツの小さな体は紙手裏剣もろとも谷底へ吸いこまれていった。

「……目を開けろ」

兄弟が想像したのは〝死〟ただ一つだっただろう。

しかしサスケは呼びかける。谷底に落下していたはずのコミツに。

「だ、だれ……」

「………」

目を丸くしてサスケを見つめるコミツ。サスケは足底にチャクラを集め、崖面から水平に立っていた。そして、右手でコミツの服を掴《つか》んでいる。

「コ、コミツ!?」

谷底を覗《のぞ》きこむように崖から身を乗りだしたオオミツは、サスケとコミツを見つけて唖《あ》然《ぜん》とした。サスケはコミツを掴んだまま崖を歩いて登る。

崖の上にたどり着き、コミツを下ろすと、コミツはヘタリとその場に座りこんだ。

「コミツ！」

オオミツが抱きしめる。すると緊張の糸が切れたのか、コミツが「わーん、心臓がゴクゴクしたよぉー！」と言ってオオミツにしがみついた。

「それを言うならドキドキかバクバクでしょ！」

「ううん、ドクドクだった」

「そんなのどうでもいいよ！　コミツ、ちゃんと周《まわ》りを見て行動しないと危ないじゃないか！」

叱りつけながらも心底安堵《あんど》した様子のオオミツだったが、ハッと気がつき立ちあがる。

「あの、すみません！　コミツを助けてくださってありがとうございました！」

深々と頭を下げ感謝するオオミツ。コミツも真似《まね》するようにペコリと頭を下げる。サスケはそんな兄弟を見下ろしながら、もう一つ助けだしたものを差しだした。

「……オレの紙手裏剣！」

サスケは紙手裏剣も摑んでいたのだ。コミツは紙手裏剣を受け取ると感動した様子でサスケを見上げる。あどけない瞳がサスケの目をじっと覗きこんだ。

「ナルト目の兄ちゃん、忍者なの？」

思いがけない言葉に今度はサスケが目を丸くする番だった。

「……ナルト？」

顔には出ないものの戸惑《とまど》いを感じるサスケの左目をコミツが指さす。

「目がブルブルしててナルトみたいだから」

「グルグルでしょ……」

どうやらコミツにはサスケの輪廻眼《りんねがん》が食べもののナルトの渦《うず》を連想させるようだ。

「それでそれで、忍者なのッ？」

前髪でも伸ばして瞳を隠しておかなければ人目についてしまうなと思いながら、サスケは短く「ああ」と答える。

「すっごい……！　やっぱ忍者って格好いいや！」

ほんの数秒前まで震えていたのが嘘のように、コミツが興奮して拳《こぶし》を握る。

「なぁなぁ、ナルトの兄ちゃん、オレに忍術教えてくれよ！　オレも忍者になりたいんだよぉ！」

「何を言ってるんですか、コミツ。すみません、家族以外の人を見たのも久しぶりだから、遊んでもらいたいんだと思います。気にしないでください」

オオミツが困りながらコミツを押さえるが、コミツはグイグイとサスケに近づいてくる。面倒なことになってしまった。

「オオミツ兄ちゃん、遊びじゃないから、修業だから！」

コミツの主張にサスケは幼かった頃の自分を思いだす。サスケも小さいとき、こんなキラキラした目でイタチを見ていたのだろうか。

「……ハァ」

こういうことをするのはガラではないのだが、サスケは一つ息をつき、彼らに手を伸ばした。

「貸せ」

サスケの手は紙手裏剣に伸びている。

「やった！」

コミツは嬉《うれ》しそうに紙手裏剣をサスケに渡した。

「…………」

今度は谷底から風が吹いてくる。再び舞った白い花びら。サスケの目がそのうちの一枚を捉えた。

「あ！」

「わっ」

サスケは流れるようなしぐさで紙手裏剣を投げる。彼ら兄弟が投げたときとは比《くら》べものにならない速度と回転数だ。そして手裏剣は狙《ねら》った花びらに突き刺さる。

「う、うわぁ！」

「す、すごいです……！」

コミツも、コミツを諫《いさ》めていたオオミツも口をあんぐりと開けて大興奮だ。

「……紙でもこれくらいのことはできる」

チャクラも使っていない。腕があればこれくらいのことはできるのだ。

「ナルトの兄ちゃんスゲェや……！」

花びらが突き刺さったままの紙手裏剣を拾いあげ、コミツが噛《か》みしめるように呟《つぶや》く。

「……サスケだ」

「え？」

「サスケ。オレの名だ」

さすがに〝ナルト〟と呼ばれるのは抵抗がある。コミツはきょとんとしたあと、すぐにニカッと笑って言った。

「サスケ兄ちゃん！」

3

たかが紙手裏剣《かみしゆりけん》、されど紙手裏剣。

谷底からも山頂からも入り乱れるように風が吹き抜けるこの場所では、紙手裏剣を真《ま》っ直《す》ぐ飛ばすだけでも至難の業《わざ》のようだ。

「こうして……こうだ」

口が立つわけでも面倒見がよいわけでもないサスケにできることなどたかが知れている。

サスケは紙手裏剣を投げるフォームを見せると「あとは自力でやれ」と言った。

「わかった！　サスケ兄ちゃん、オレのフォーム、うっかり見ててくれよ！」

「しっかりでしょ……」

本来なら早々に立ち去るところだが、コミツのあどけない眼差《まなざ》しに負けるように若木の根本に腰を下ろす。

「すみません……相手をさせてしまって」

申《もう》し訳《わけ》なさそうに頭を掻《か》くオオミツに「気まぐれだ。飽《あ》きたら去る」と簡潔に伝えた。

突き放した物言いだが、オオミツはサスケの飾らない態度に安堵《あんど》した様子《ようす》で頭を下げる。

そして、コミツをサポートするように彼が投げた手裏剣を拾い始めた。

「…………」

コミツが手裏剣を投げ、オオミツがそれを拾う。オオミツが拾ってきた手裏剣をコミツは当たり前のように受け取り、また投げる。そしてまたそれをオオミツが拾う。

「……おい」

その光景をしばらく眺めていたサスケが、二人に呼びかけた。

「なになにサスケ兄ちゃん!?」

コミツはアドバイスをもらえると期待したようだが、サスケは言う。

「オオミツ、お前はオレの隣にいろ。コミツ、お前は紙手裏剣を自分で拾え」

「えーッ!」

めんどくさいじゃん、と唇《くちびる》を尖《とが》らせるコミツに、

「言うとおりにしないならここでお開きだ」

とサスケが立ちあがる。

「あ、待って待って! わかったよぉ……ちゃんこ自分で拾えばいいんだろ」

「ちゃんこじゃなくてちゃんとだよ……」

コミツはしぶしぶ了承し、紙手裏剣を拾いに走った。オオミツはコミツの言い間違いを訂正《ていせい》しながら、サスケの隣に立つ。

「あの、ボク、拾う係でよかったんですけど……」

こっそりそう言うオオミツだったが、サスケは軽く睨《にら》みつけた。オオミツがビクッと震える。

「自分で取りに行くことで飛距離の変化を知ることができる。それから、いちいち取りに行かなければならないことで、一投に重みが増す。お前が手伝っていたら甘えて成長しな

い」

「あ、……なるほど、そうですね」

オオミツは反省した様子で、その場に腰を下ろした。めんどくさいと言っていたコミツは真面目《まじめ》に手裏剣を拾いに行っている。

その姿を見ていたオオミツの表情が少しずつ曇《くも》っていった。

「……ダメなんです、ボク。過保護というかなんというか……コミツが失敗しないように、先回りして手を貸すクセがあって……。そのくせ、肝心《かんじん》のときには助けられない。今日、サスケさんがいなかったらコミツはどうなっていたか……」

不甲斐《ふがい》ない自分を嘆《なげ》くようにオオミツは膝《ひざ》を抱《かか》えて顔を埋める。サスケはそれを横目でチラリと見て、またコミツへと視線を戻した。

兄とはこうやって無意識のうちに、弟のことまでを背負って生きていく生きものなのだろうか。

「サスケ兄ちゃん！　もっかい手本見せてよ！」

一方、オオミツの気持ちなど知りもせず無邪気《むじゃき》にはしゃぎ甘えるコミツの姿は、やはりサスケと重《かさ》なるものがあった。

それから、どれほど時間がたっただろう。コミツは思いの外《ほか》、根性があったようで、休むことなく延々と紙手裏剣《かみしゅりけん》を投げ続けていた。当初に比《くら》べると腕も上がり、かなり真《ま》っ直《す》ぐ飛ばせるようになっている。

「すごいね、コミツ。見違えるようですよ」

最初こそ沈んでいたオオミツだったが、コミツの成長を我がことのように喜んだ。褒《ほ》められたコミツも得意げだ。自分の成長を実感しているのだろう。

「……あ」

しかし、その目が西の空を映したとき、何かに気づいたように表情を暗くした。それは傾く日の光。今日が終わっていく合図。

兄弟の姿に自《みずか》らの過去を重《かさ》ね、ついつい長居をしてしまったサスケだが、そろそろ頃合いだろう。静かに立ちあがり、このまま別れるつもりだったのだが、サスケの耳に思いがけない言葉が飛びこむ。

「……〝暁〟だ」

――〝暁〟。その言葉に、体がぴくりと反応した。

「コミツ、あれは暁じゃありませんよ。暁は、夕暮れではなく、夜明けの光ですから」

オオミツがコミツの言葉をやんわりと訂正《ていせい》する。幼いコミツには夜明けの光も、日暮れの太陽も同じように見えるのかもしれない。

反射的に反応した自分をサスケは小さく笑う。

ただ、コミツの表情は晴れず、彼はしましまの帽子を深く被《かぶ》りオオミツにしがみついた。

谷底から、冷たい風がまた吹きあげ、花弁が西の空へと飛ばされる。オオミツは弟の頭を撫《な》で、赤く染まる西の空を見た。

「……ボクたちの家族は〝暁〟に殺されたんです」

その言葉にサスケは目を見開く。

赤い赤い夕日。それが突然、滲《にじ》み広がる血の色に見えた。あれによく似た赤を知っている。

黒い衣《ころも》に、赤い雲模様。

久方《ひさかた》ぶりに出会った兄、イタチが着ていた衣。

そして、サスケ自身も身に纏《まと》った衣。

それは〝暁〟の象徴。

兄弟の暗く重く沈む表情が、サスケの罪《つみ》を浮かびあがらせていく。

――〝暁〟。

一人一人が国を落とせる力を持ち、多くの忍《しのび》に恐怖を与えた組織。忍界《にんかい》の闇《やみ》を内包した存在。

脳裏《のうり》に〝暁〟の衣がはためく。

これは、そんな彼ら〝暁〟の話だ。

弟切草

1

写せ世界。

響《ひび》け大地の営《いとな》みよ。

感触は己《おのれ》に他者の存在を知らせ、幸福の甘みと不幸の苦《にが》みは人を育てる。

命の香りがかぐわしく、繋《つな》がりあうは個と世界。


視覚、聴覚、触覚、味覚、嗅覚《きゆうかく》。

人の五感は己がこの世界に生きていることを教えてくれる。

ならばその一つ、視覚に類《たぐ》い希《まれ》なる力、写輪眼《しやりんがん》を宿したうちは一族は、世界とより深く繋がるために生まれてきたのかもしれない。

しかし、その強固な繋がりは永遠ではなかった。

見えるものも見えないものも見通せるこの瞳《ひとみ》は次《し》第《だい》に力をなくし、世界を遠ざけ、やがてぷつりと閉ざされる。視力をなくしてしまうのだ。

繋がりに愛され、繋がりに裏切られる。繋がりに翻弄《ほんろう》される一族、それが、うちはなのだろうか。

そして自分も、その縛《しば》りの中にいるのだろうか。

「…………」

夜露《よつゆ》を凌《しの》ぐために入った洞窟《どうくつ》。そこから男が一人抜け出す。

冷たい夜風に、赤い雲が浮かんだ衣《ころも》が、黒い髪とともに揺れた。

空はこの衣に反して雲一つなく、丸い月が浮かんでいる。その月光を捉《とら》える両目は写輪眼だ。

男は月を見上げたままゆっくり己の額《ひたい》に触れる。忍《しのび》の証明、額当《ひたいあ》て。刻《きざ》まれたのは木《こ》ノ葉《は》隠《がく》れの里の紋様《もんよう》。しかしそれだけではない。その木ノ葉の紋様を横一線に切り裂く傷、抜《ぬ》け忍《にん》の証《あかし》がそこにはあった。

うちはイタチ。

由緒《ゆいしょ》正しきうちは一族の天才ともてはやされた男は、今では一族殺しの反逆者。

ただ、あらゆる繋がりを断《た》ち切《き》ったイタチが唯一《ゆいいつ》断ち切ることができなかったものがあった。

弟がいる。この額当て、二つに裂かれた木ノ葉のように深く傷つけた弟が。

こんな月の日は特に思い出す。うちはのクーデターを止めるため、うちはの血にまみれたあの日のことを。

イタチとサスケ、兄弟の愛情で結ばれていた繋がりは、今ではサスケのイタチに対する憎しみの縛りへと変わり、複雑に絡《から》みあっている。そうイタチが仕向けたのだ。何も知らせず、何も伝えずに。

イタチの脳裏《のうり》に、今度は別の男の姿が蘇《よみがえ》る。

それは、イタチが兄のように慕《した》っていた同じうちはの一族、うちはシスイだ。

彼もあのとき、うちはのクーデターを止めようと必死で戦い、散っていった。

――……頼めるのは親友のお前だけだ。この里を……うちはの名を……守ってくれ……。

木ノ葉を想《おも》い、うちはを想い、表に出ることなく影に徹《てっ》して散ったシスイ。彼の生き様《いざま》こそ忍の道。己も彼のようにとイタチは思う。罪《つみ》を背負い、汚名を被《かぶ》ることなど、この〝暁《あかつき》〟の衣を纏《まと》うのと同じようにイタチにとって造作《ぞうさ》ないことだ。

罪を犯《おか》し続ける兄を見れば、サスケもイタチを殺すことに躊躇《ちゅうちょ》しないだろう。そうでなければ困る。

愛する者を手にかける辛《つら》さをイタチは誰よりも知っているのだ。

サスケがイタチを殺すときは、哀《かな》しみなど何一つ感じずに殺してほしい。イタチはその日を夢見ている。

ただ、その結末まではまだ時間がかかりそうだ。

イタチは月の光を遮《さえぎ》るようにまぶたを閉じる。

この目はまだ人の血をすする。そう、今これからも——

「眠れませんか、イタチさん」

背後からイタチを呼ぶ声が聞こえた。振り返れば、大刀《だいとう》〝鮫肌《サメハダ》〟を背負った巨軀《きょく》の男、元忍刀《しのびがたな》七人衆《しちにんしゅう》であり、かつて霧隠《きりがく》れの怪人と呼ばれた干柿《ほしがき》鬼鮫《キサメ》が立っている。〝暁〟におけるイタチのパートナーだ。

「黙って出ていかれるので〝暁〟を抜けるのではないかと思いましたよ」

冗談とも本気とも判別つかない言葉だ。イタチが目を細めると鬼鮫がニヤリと笑う。

「そう睨《にら》まないでください。一人の時間を邪魔《じゃま》するのは心苦しいのですが〝暁〟のツーマンセルは互いを監視しあう目的もある。いつ誰が裏切るかわかりませんからね。大蛇丸《オロチまる》のように」

「…………」

大蛇丸とは、イタチと同じ木ノ葉の出身で、自来也《じらいや》、綱手《ツナデ》とともに伝説の三忍《さんにん》と称された男である。

己の欲求を満たすためならどんな手段でも使う冷酷な男で、この〝暁〟も彼にとっては手段の一つだった。彼は〝暁〟に在籍しながら、天賦《てんぷ》の才を持つイタチの体を狙《ねら》っていたのだ。

しかし、どうあがいてもイタチには敵《かな》わないと判断した彼は〝暁〟を抜けた。

当時、大蛇丸と組んでいた傀儡《くぐつ》使《つか》いのサソリは、この離反で随分《ずいぶん》と痛い思いをしたらしい。

「そう考えるとアナタと組んでいられることが誇らしいですよ。なにせアナタはうちはの天才。アナタが〝暁〟を裏切った日には、私がその天才を殺す大役を任《まか》されるのですから」

イタチは何も答えず視線を再び月へと戻す。

「そんなことをわざわざ言いに来たのか」

「ふふ……わかっていますよ。もちろん、無駄口を叩《たた》きに来たわけじゃない」

同じように月を見上げた鬼鮫。その手が背中の〝鮫肌〟に伸びた。

「さて、どちらでしょう……ね！」

鬼鮫がそう発すると同時に、あれだけハッキリと見えていた月が霞《かす》んだ。月光を遮るのは雲ではない。突如《とつじょ》深い霧が立ちこめ、近距離にいるはずの鬼鮫さえ見えなくなった。

「……どうやら私のようですね！」

――忍法、霧隠《きりがく》れの術。

霧隠れの里で多く使われる水遁《すいとん》の術だ。

鮫肌を引き抜こうとする鬼鮫の後方上部から一斉《いっせい》にクナイが飛んでくる。鬼鮫は鮫肌を軽々と振り回し、全《すべ》てのクナイを叩き落とした。

しかし、鬼鮫がクナイに意識をとられるなか、霧の中から新《あら》たに影が飛び出してくる。

「鬼鮫、霧隠れの追《お》い忍《にん》だ！」

姿を見せた忍は霧隠れの紋様が入った面を被っていた。抜け忍である鬼鮫を狙って現れたのだろう。

イタチの言葉に鬼鮫が反応するよりも早く、追い忍は素早く印《いん》を結ぶ。

「水遁・水弾《すいだん》の術ッ！」

反《そ》らした体を勢いよく前に倒すと、口から吐きだされた水が鬼鮫の体に叩きつけられた。

更《さら》に新たな追い忍が現れ術を唱《とな》える。

「水牢《すいろう》の術！」

水弾の術で鬼鮫の体に叩きつけられていた水が重くなり、鬼鮫の体を囲って球になった。最初の追い忍が水弾の術で水を生みだし、もう一人の追い忍がその水を使って脱出不可能な水の檻《おり》を作ったのだ。

「よし、このまま鬼鮫を連れていくぞ！」

狙いは鬼鮫ただ一人。彼らは鬼鮫を連れ去ろうとする。

「新人ですか？　舐《な》められたものですね」

しかし水牢の中、鬼鮫が不敵に笑った。

「鬼鮫、派手にやりすぎるな」

「それは相手次第でしょうね」

イタチの忠告にそう答え、鬼鮫が印を結ぶ。

「な、なんだと……ッ!?」

鬼鮫は水牢内の水を大きく飲みこんだ。

――水遁・爆水衝波《ばくすいしょうは》ッ!!

鬼鮫が術を唱えると、水牢の水とは比《くら》べものにならない量の水が鬼鮫の口から吐きだされる。

「くっ、馬鹿な！　決して破られることがない水牢だぞ……!?」

水牢の術を発動させた追い忍は焦《あせ》った様子で水牢に両手をつき、鬼鮫を押さえこもうとした。

しかし、際限なく溢《あふ》れだす水に一気に膨張《ぼうちょう》、内側から圧迫された水牢は、まるで水風船が破裂するように弾《はじ》け飛《と》ぶ。

「……派手になる前に終わってしまいましたか」

解放された鬼鮫はゴキッと首をならして鮫肌を構《かま》えた。

「では、こちらも攻撃といきましょうかね」

鬼鮫は、水牢の術を破られ体勢を崩した追い忍に一気に詰め寄る。

「ウラァアッ!!」

「ギャッ！」

大刀〝鮫肌〟を相手のみぞおちに叩きつけ、骨が折れる感触を楽しみながら勢いよく〝削る〟。追い忍の腹の肉がえぐれ血が飛び散るなか、〝鮫肌〟はしっかりと相手のチャクラを喰《く》らい、鬼鮫の力に変えた。

「クッ」

枯れ葉のように脆《もろ》く舞い飛ぶ仲間を視界に捉《とら》えながら、もう一人の追い忍は印を結ぶ。

「仲間の死を前にしながらも確実に印を結ぶ。さすが追い忍ですね。ですが、アナタたちのおかげで地の利はこちらにある」

鬼鮫の周囲には水が池のように広がっていた。

「いきますよ……水遁・水鮫弾《すいこうだん》の術ッ！」

その水が鮫《さめ》の形となって、牙《きば》を剝《む》く。鬼鮫が得意とする術の一つだ。

「チッ！　水遁・水陣壁《すいじんへき》……」

追い忍が水の壁を作ってガードするよりも早く、水鮫弾が泳ぎきる。

「ぎゃあああああ！」

追い忍は水の鮫に食われ飲みこまれ、勢いよく吹っ飛んだ。

「同郷同士、手の内は知れてますよ」

周囲を覆《おお》っていた濃霧《のうむ》が晴れだし、再び月明かりが照らす。鬼鮫は〝鮫肌〟を背に戻した。

「……ッ!?」

しかしそこで、イタチは別のチャクラを感じたのだ。

「鬼鮫、フォーマンセルだ！」

素早く指示を飛ばした途端、草むらから二人、別の男が飛びだした。

「『地の利はこちらにある』だっけなぁッ!? その言葉、このキイロ様が再利用してやるぜ!」

自《みずか》らをキイロ様と名乗る男は、先ほどの追い忍とは違い仮面を着けていない。それどころか忍の証でもある額当てすらしていなかった。

ただ、大きな口を叩くだけのことはあり、複雑な印を瞬時に結んでみせる。大技《おおわざ》が来る。

「水遁・水龍弾《すいりゆうだん》の術!!」

キイロの叫びに呼応するように鬼鮫の濡《ぬ》れた足下《あしもと》から水龍が現れた。チャクラの練度《れんど》が高いのだろう。太く硬い水龍がとぐろを巻くようにして鬼鮫の体を襲う。

「くッ!」

印を結ぶ暇がなく、背中の〝鮫肌〟に手を伸ばすこともできない。水龍に鬼鮫の体が圧迫された。

「解《かい》!」

ところが、鬼鮫に致命傷を与える前にキイロは術を解除したのだ。水の塊《かたまり》であった水龍がパンと弾けて空に舞い、まるで雨のように大地に降りそそぐ。

「コダカァ! いくぜ!」

最後の一人、コダカと呼ばれた男は厚手のコートの下で既《すで》に印を結んでいたようだ。周囲に無数の小さな光が舞っている。キイロも新たに印を結んだ。

「しっかり、打ちこめよ！　水遁・怒苦雨《どくさめ》！」

キイロが術を唱えると、雨のように降りそそいでいた水が黒く変色し、鬼鮫の体にへばりついた。黒い雨は視界を奪うように目も覆う。

「わかった……！　雷遁《らいとん》・感電針々《かんでんばりばり》！」

コダカが術を唱えると、光の粒が針のように伸びた。それが一斉に鬼鮫へと飛んで突き刺したのだ。

数こそ多かったものの一つ一つは細く小さく、それこそ針先でつつかれた程度の痛みしか感じない。

「…………！」

しかし、鬼鮫は皮膚を押さえた。

「これは……」

突き刺さった場所のいくつかが、見る間《ま》に赤く腫《は》れていく。それだけではなく腫れた箇《か》所《しょ》からしびれが広がり、鬼鮫は思わず膝《ひざ》をついた。

「ヒャッハー！　霧隠れの怪人もこれで終わりだぁッ！」

この好機を逃《のが》すはずがない。キイロが刀を引き抜き鬼鮫の首を狙う。

「……油断《ゆだん》したな、鬼鮫」

そんなキイロの刀を、イタチがクナイで容易《たやす》く止めた。

「なっ……」

「見慣れない技を使う」

虚を突かれたキイロの腹をイタチは足底で思い切り蹴《け》りつける。

「ガハッ！」

「キイロ！」

蹴り飛ばされたキイロの体をコダカが受け止め、距離をとるように後方へ跳《と》ぶ。

「すみませんね、イタチさん。どうやら毒を打ちこまれたようだ。水遁で毒を作り、あの雷遁で、体内に打ちこんだんですかねぇ……」

毒としびれで動きが制限されているらしい鬼鮫が腫れあがった手で〝鮫肌〟を引き抜く。

「仕方ありません、削るとしましょう」

鬼鮫は〝鮫肌〟を躊躇なく自分に向けた。そして患部を深く削っていく。

「あ、あいつ、自分の肉を……」

「なに、ビビってんだよコダカァ！」

肉ごと削《そ》ぐ鬼鮫を見て声を震わせたコダカをキイロは怒鳴《どな》りつける。

「テメェはいっつもそうだ、この根性なしが！　追撃かますぞ！」

「だけどキイロ！　〝一発目〟は打ちこんだんだ。それにあの写輪眼……うちはイタチが参戦するとヤバイ。ここはいったん引こう！」

「黙れよ！　ついでにイタチも倒して名をあげてやらぁ！　ラスト〝二発目〟だ、いくぞコダカ！」

コダカの制止を聞かず、キイロは印を結ぶ。

イタチは静かに目を閉じ眼球に力を込めた。

「富も名声もこの目を前にすれば全て色あせ、そして……消える」

――万華鏡写輪眼《まんげきょう》、幻術《げんじゅつ》〝月読《つくよみ》〟。


――……ッ!?　な、こ、ここは……。

突然世界は暗闇《くらやみ》に。その中にいるのはイタチとキイロの二人だけ。引きずりこんだ〝月読〟の世界。

――どういうことだ、何をした！

キイロは両手両足を縛られ湖の縁《ふち》に立たされている。

――これから四十八時間、お前は溺《おぼ》れ続ける。

イタチの言葉に「何を言ってんだ！」とキイロが喚《わめ》いた。そんなキイロの背をトンと押す。

――な……ッ!!

ドボン。

水音を立ててキイロの体が湖に落ちた。


「ああああああ……！」

「キイロ!?」

突然黙りこみ、泥まみれの土の上に倒れこんだキイロが言葉にならない声をあげる。呼吸は乱れ、全身から脂汗《あぶらあせ》を噴《ふ》きだす姿にコダカは慌《あわ》てて彼の体を揺すった。

「ああ、あああ！」

瞬時にして四十八時間の責《せ》め苦《く》を味わったキイロは、救いを求めるように手を伸ばす。

「あらら、人生終わっちゃいましたね」

月読にかかったキイロを見て鬼鮫が笑う。イタチはクナイを手に取り、真の意味で二人の人生を終わらせるべく足を踏みだした。

「キイロ！」

コダカがキイロの名を強く呼び、空気を求めるように天につき伸ばした手を取った。彼はキイロの手を固く握りしめ、もう一度名を叫ぶ。

「しっかりしろ、キイロッ！」

その懸命さにイタチの足が止まった。

「にぃ……さ……」

コダカの叫びに答えるように、キイロがかすれた声をあげる。

「たすけ、て……、コダカ兄、さん……ッ」

恐怖に震える子供のように、絞《しぼ》りだされた声はイタチの胸を突く。

「……くッ」

キイロの悲痛な叫びにコダカは彼の体を肩に背負うと逃げるように姿を消した。

「……やれやれ、ようやく痛みとしびれが和《やわ》らいできたところだったのですが」

鬼鮫は鮫肌を土に差し、ゆっくり立ちあがる。

「どうやら兄弟だったようですね。それにしても奇妙な術だ」

「……霧隠れの術じゃないのか？」

「あの水遁と雷遁の合わせ技は初めて見ました。二人とも追い忍の面も額当てもしていませんでしたし、霧隠れが別に雇《やと》った忍と考えるべきか……」

まぁ、私も霧隠れを離れてそこそこたちますしね、と鬼鮫が肩をすくめる。

「水遁で作った毒で体を覆い、その毒を雷遁で打ちこむ……。珍しい連携技ですね。毒が完全に抜けるまではまだもうしばらくかかりそうですよ」

鬼鮫は毒が含まれているのであろう足下の黒い水を見る。しかしイタチは鬼鮫の考えに同意しなかった。

「奇妙な光を無数にくらったというのに腫れた箇所は多くないな」

「あれ自体はそれこそ針のようで大した攻撃力はありませんでしたからね。私の体を傷つけるまでには至らないものも多かったのでしょう」

「…………」

イタチは視線を黒い水面《みなも》に落とす。

「イタチさん?」

首を傾《かし》げる鬼鮫を無視するようにイタチは視線を動かした。そして草むらの中に目的のものを見つけだし、俊敏《しゅんびん》にクナイを投げつける。

「……ネズミ?」

クナイが捕《と》らえたのは草むらを移動していた野ネズミ。

「まさか敵のトラップですか?」

「いや、違う」

背中に傷を負ったものの、ちゃんと生きているネズミを摑《つか》んだイタチは黒い水の中へぽちゃんと落とす。ネズミは驚いたように水の中で暴れ、それこそ濡《ぬ》れ鼠《ねずみ》になりながら脱出すると逃げていった。

それを見て、鬼鮫も何かに気づいたようにイタチを見る。

「今のネズミ、傷口にも黒い水が入っていたはずなのに、何の症状も出ていませんでしたね」

鬼鮫が受けた毒には即効性があった。ならば、あのネズミにも同じ症状が出てもいいはずだ。

「あのコンビ術、恐らく水遁に毒があると見せかけ実は違う。あの雷遁に仕掛けがあるはずだ……」

イタチは彼らの言葉を思いだす。

雷遁を使ったコダカは〝一発目〟は打ちこんだ、と言っていた。

そしてキイロが〝二発目〟を〝ラスト〟だと叫んでいた。そこに秘密が隠されているような気がするのだが。

「……ひとまず今は休め、鬼鮫。キイロという男に月読をかけたが術のかかりが悪かった。

回復すれば、再びお前を狙ってくるだろう」

「次は殺しますよ」

「根拠《こんきょ》のない自信は油断を生む。先ほどのお前のようにな」

毒を受け、膝をついたことを指摘すると、鬼鮫がククと笑う。

「口数が多いわけではないアナタですが、口論も強い」

「別に口論をしたつもりはない」

端的に答えながらイタチの視線が黒い水から、水遁によって泥まみれになった周辺へと移動する。

「…………」

そこで、イタチの目があるものを捉えた。

──これは……。

「今からでも追いましょうか、あの兄弟」

黙りこむイタチに鬼鮫がそんなことを言う。

「そう遠くは離れていないでしょう。すぐ見つかりますよ」

それはイタチも同意見だ。

キイロが幻術にかかった以上、そう遠くない場所に身を隠し、状態を確認するはずだ。

──助けてコダカ兄さん……ッ。

そしてなにより彼らが兄弟であるならば、助けを求める弟の声に、兄が冷静でいられるはずがない。イタチの写輪眼を使えばたいして時間をかけずに二人を見つけだすことができるだろう。

「…………」

しかしイタチは、泥の縁に落ちていたあるものを踏みつけ、ねぐらにしていた洞窟へと歩《ほ》を進める。

「その状態では万全に戦うことはできないだろう」

「たいしたことありませんよ」

「共食いに気をつけろと言ったのはお前だったと思うが」

「……………！」

それは、鬼鮫と初めて出会ったときのこと。

鬼鮫は卵から孵化《ふか》した鮫の稚魚《ちぎょ》が仲間と共食いするという話をし、〝暁〟の仲間となったイタチにも気をつけるようにと忠告してきたのだ。油断すれば、殺しますよと。

だからあえて今それを引用する。

不十分な状態で戦いに挑んで弱れば、この写輪眼の餌食《えじき》になるのはお前かもしれないのだと。

「……クク。やはり口論も強いようだ」

鬼鮫はそう言って、イタチのあとに続く。

水遁の水は黒い水もろとも静かに土の中に吸いこまれていった。


月は次第に西の空へ。

大木のうろの中、聞こえるのは虫の羽音と弟のうめき声。

汗ばむ弟の手を握りしめ、破壊された弟の精神を探し繋ぎあわせるようにチャクラを送り続ける。

「キイロ……」

意識が戻らぬまま夜が明けていくのだろうか。最悪の事態が頭を過《よぎ》り、コダカのチャクラが乱れる。

「……しっかりしろ、ボクは兄貴だろ」

己を叱咤《しった》してキイロの回復を待つなか、ふいに、キイロの口から「コダカ……?」と声が零《こぼ》れた。

「キイロ！　意識が戻ったのか！」

キイロは大声に顔をしかめ、ゆっくりとまぶたを開く。

「な、に、握ってんだよ……気持ち悪《わり》ぃなッ！」

覚醒《かくせい》とともにキイロは兄の手を振り払った。

「クソが……」

キイロは額を押さえながら起きあがり、「鬼鮫はどうしたんだ、仕留《しと》めたのか」と問うてくる。

「あ、いや……あのあと、いったん引いて……」

コダカの返答にキイロの目がつりあがった。

「何やってんだよテメェはよぉ！」

「ぐっ！」

キイロの拳《こぶし》がコダカを殴《なぐ》りつける。コダカはバランスを崩し、木のうろから転落した。

キイロがもう一発殴ろうと飛びだしたところで、虫の羽音が大きくなる。

「チッ」

キイロは振りあげた拳を下ろし、忌々《いまいま》しげにコダカを見た。

「キ、キイ……」

弟の顔は怒《いか》りと憎しみに満ちあふれている。

「なにが一子《いっし》相伝《そうでん》の秘術だ……。長男に生まれたからって調子に乗りやがって……！　オレが先に生まれてりゃ、それはオレのもんだったのによ！　そしたらもっと楽に殺しまくれただろうに！」

「キイロ……これは元々、人を殺《あや》めるためのものじゃ……」

「うるせぇッ！　その術さえなけりゃ、てめーなんか用なしなのによ！」

そう叫んだ直後、キイロの体がぐらりと揺れる。意識が戻ったとはいえ、月読による精神疲弊《ひへい》は酷《ひど》いのだ。一瞬で終わるその術が、人としての人格や記憶を全て奪ってしまうことも少なくない。

「キ、キイロ、今は休んで……」

「触《さわ》んじゃねぇ！」

体を支えようとしたコダカの手をキイロは思いきり払いのける。

木に手をつき、肩で息をする弟を見てコダカは表情を曇《くも》らせた。

「なぁ、もうこんなことやめよう。金を稼《かせ》ぐために霧隠れのスカウトに応じたけど、もう十分稼いだじゃないか……。あとは村に帰って、みんなで静かに」

「黙れよッ!!」

コダカの言葉を遮るようにキイロは叫ぶ。

「伝統を捨て、旅を捨て、ひとつところに留《とど》まるようになったクズどもなんかと一緒に暮らせるか！　それに忘れたのか！　あいつらはオレたちを切り捨てようとしたんだぞ！　なんで平気な顔してんだよ！　憎めよ！　恨《うら》めよ！」

キイロの目がギラリと光る。

「名をあげて見返してやるんだよ……そのために、あいつらはうってつけじゃねぇか！」

元忍刀七人衆、霧隠れの怪人、干柿鬼鮫。

写輪眼を宿すうちは一族の天才、うちはイタチ。

ともに国際手配されている〝暁〟の一員。この二人を討《う》ち取《と》ればあっという間にヒーローだ。

「干柿鬼鮫には〝一発目〟を打ちこんでるんだ！　うちはイタチだって……要はあの目を見なきゃいいんだろ。次はこうはいかねぇ」

「……キイロ……」

「回復し次第、二人を狙う。わかったな、根性なし！」

キイロはそう吐き捨てて、再び木のうろに戻り横になった。

コダカは虫の羽音を聞きながら空を見る。月の光は弱まり東の空が明るくなり始めた。

弟に殴られた頰《ほお》に手を当て、コダカは唇《くちびる》を固く嚙《か》みしめる。

「ゴメンよ……オオミツ、コミツ……」

2

翌朝。すっかり日が昇《のぼ》ったところで鬼鮫とともに洞窟《どうくつ》を出る。

「やれやれ、しつこい毒でした」

鬼鮫はそんな風《ふう》に言うが、通常の忍《しのび》であれば回復に相当時間がかかるであろう毒も、驚異的なチャクラ量と他者の力を取りこみ持ち主の力に変える〝鮫肌《サメハダ》〟を持った鬼鮫を前にすれば形無《かたな》しだったようだ。

「それではあの兄弟を探しますかね。こちらの情報を霧隠れに持って帰られても面倒ですから」

二人は跳躍《ちょうやく》すると、木の枝を足場に森の中を走りだす。

「イタチさんの月読《つくよみ》を喰《く》らったのですから、弟の方は未《いま》だ再起不能だとは思いますが」

それにイタチは首を振る。

「いや……強靭《きょうじん》な精神力や、優《すぐ》れた医療忍術がなくとも回復する場合はある」

「と、いうと？」

不思議そうに尋《たず》ねる鬼鮫にイタチは答えた。

「〝愛〟というものだ」

鬼鮫は一瞬きょとんとして、小馬鹿にするように笑う。

「〝愛〟……ですか。冷徹なアナタからそんな言葉を聞くことになるとは思いませんでしたよ。これほど移ろいやすいものはないように思いますが」

「感情が人に与える影響はことのほか大きい。月読は幻術《げんじゅつ》による精神破壊。その精神を繋《つな》ぎあわせることができれば回復も不可能ではない」

それには相手を救いたいという強い気持ち、愛情なくして成《な》り立《た》たない。

そこまで聞いて鬼鮫は「なるほど」と思いだしたように呟《つぶや》く。

「兄がそれになりうる、ということですか」

「可能性がないとは言いきれないという話だ。確定した話ではない。月読はそんな生《なま》やさしい術ではないからな。ただ、最後になってみるまで結果はわからないということだ」

イタチの返しに鬼鮫はフッと笑った。

「自分で可能性を示しておいて、自分でその可能性を否定するなんて、イタチさんの思考は相変わらず複雑怪奇ですね」

鬼鮫は「そういえば」と続ける。

「初めて出会ったときも、どんな奴《やつ》でも最後になってみるまで自分がどんな人間かはわからない……と言っていましたっけ。ということは、今の私たちは私たち自身のことさえ理解できていない状況だ。そして、己《おのれ》のことさえわからないのだから、人のことなんてわかるはずがない……イタチさんはそう言いたいのですか？」

「さぁな」

「クク……。本当にアナタは冷たい」

そう言いながらも鬼鮫はどこか楽しそうだ。考えてみれば出会った当初から鬼鮫はイタチを立てているように見えた。霧隠れで仲間殺しの専属任務に就《つ》いていた鬼鮫にとって、一族殺しを遂行《すいこう》したイタチは、それこそ〝暁〟という枠《わく》を超えた仲間意識を感じさせる存在なのだろうか。

人は同じ痛みを持つ者同士でしか理解しあえないという。

もし、鬼鮫が寸分《すんぶん》の狂いもなくイタチの気持ちを理解しているのであれば、鬼鮫自身も仲間の血に濡《ぬ》れた手を嘆《なげ》き、心に深い傷を負っていることになるのだろうか。

いや、とイタチは否定する。

結局考えたところでわからない。鬼鮫には鬼鮫の歩んできた道のりがある。それをわかった風に語るのは傲慢《ごうまん》だ。

それに、やはりイタチと鬼鮫は違う。

影に徹《てっ》し、木ノ葉の、うちはの礎《いしずえ》になるため死に向かって歩んでいるイタチとは違い、彼は干柿鬼鮫という男を肯定《こうてい》してくれる存在を欲し、同胞殺《どうほうごろ》しの影を背負いながらも光が当たる日を待ち望んでいるように見えることがあるのだ。

しかし、この世界にそんなことはありえないことも彼は痛烈に理解しているのだろう。ならば彼はどこに進んでいくのか。この世界とは別の領域にでも足を踏みこもうとしているのか。〝暁〟にそれがあるのだろうか。

結局、それもただの空想でしかない。全《すべ》ては死を迎えるその瞬間にならなければわからない。

今はあの兄弟を見つけだし、始末するのが〝暁〟であるイタチの任務。

〝暁〟から一定の信頼を得なければ、〝暁〟の深い情報は得られない。

〝暁〟が木ノ葉に手を出さないようにするためにも、イタチは〝暁〟にとって使い勝手のよいコマの一つであらねばならないのだ。

兄弟、というワードはイタチにとって憂鬱《ゆううつ》な響《ひび》きがあるが。

「……待て」

写輪眼《しゃりんがん》で周囲を探りながら前進していたイタチだが、あるものが視界をかすめ立ち止まった。

「あの兄弟を見つけたんですか？」

「いや、違う」

イタチはそれを刺激しないよう気配を消して追跡した。真似《まね》るように慎重《しんちょう》にあとに続いた鬼鮫もそれに気がつく。

「蜂《はち》、ですか？」

そう、イタチの前を飛ぶのは一匹の蜂。毒蜂だ。しかもそれだけではない。

「足に白いこよりがついていますね」

蜂の足には細い紙こよりがついていた。

「この手の毒蜂の巣を探す際、死肉の臭《にお》いで毒蜂をおびき寄せ、毒蜂が肉をほふっている間にこよりをつける」

昔ながらの手法だ。

「そのあと、巣に戻る毒蜂をこよりを頼りに追いかけるということですか。しかし何の目的で？」

「人を襲う毒蜂を巣ごと駆除するためだったり、この毒蜂やその幼虫を食べるためだったりと様々だ」

「そういえば蜂の子は高タンパクでしたかね」

任務中の食糧確保は忍にとって重要任務。非常食は常備しているが、現地調達で済《す》ませる場合も多い。場合によっては虫も食料にする。食べられる虫の知識も忍ならそれぞれ持っているだろう。

「私は食べるならカニやエビの方がいいですがねェ」

「イタチさんは昆布《こんぶ》のおむすびがお好きでしょう」

「味覚は二の次だ」

「今はそんなことどうでもいい」

毒蜂はぐんぐん進んでいく。

この毒蜂の活動範囲は巣を中心に一里《り》（約三・九キロメートル）程度だったはずだ。それが既《すで》に三里も移動している。

この違和感に思いだすものが一つあった。昨夜、鬼鮫が襲われた際、泥の上に転がっていたものだ。

それはこれと同じ毒蜂。

「…………」

イタチはクナイを取りだし、蜂に気取《けど》られないようにしながら一気に加速する。そして、両目を凝《こ》らし、蜂に最も近い部分でこよりを切った。

重みが消えたことに蜂が驚いたようにぐるりと旋回《せんかい》したが、また真《ま》っ直《す》ぐ飛んでいく。

「…………」

イタチは切り離したこよりを丁寧《ていねい》に広げた。すると手のひらほどの大きさになる。

「真っ白ですが、これは……」

一見何の変哲もない紙に見えるが微量のチャクラを感じるのだ。

「イタチさん、ちょっとお借りしてもいいですか」

鬼鮫に渡すと鬼鮫は親指でぐっと紙を押さえ、チャクラを流しこむ。

「！」

すると、紙に文字が浮かびあがってきた。

「……昔、暗号部の〝護衛〟についていたこともありましてね……。そこにいたくノ一がこういった特殊な紙を取り扱《あつか》っているのを見ました」

浮かんだ文字は言葉になる。言葉は文章を紡《つむ》ぎだす。

「…………」

書《か》き記《しる》されていたのは——家族への想《おも》い。

お前たちのためにと村を離れてどれくらいがたつだろう。

もしかしたらこれが最後の手紙になるかもしれない。

体大事に、健《すこ》やかに。

遠く離れても、お前たちのことを見守っているよ。


「……家族に宛《あ》てたもの、のようですが」

これがどうしたのだと鬼鮫は言いたげだ。イタチは蜂が消えた方角を見つめる。

「木ノ葉に油女《あぶらめ》一族という蟲使《むしつか》いの一族がいる」

「油女一族……聞いたことがありますよ。誕生とともに体を蟲に貸しだし、自《みずか》らのチャクラを与え続けることで虫を自在に操《あやつ》る一族でしたか」

イタチは「ああ」と頷《うなず》いた。

「油女一族が使う蟲とは違うが、あの毒蜂も主人の命令を聞き、手紙を家族に渡すため、飛んでいるように見えた。それから昨晩、泥水に混じって蜂が死んでいるのをオレは見た」

「蜂が？」

蜂の活動時間は主《おも》に日中。夜は巣で休んでいることが多い。だからこそ不審に思ったのだ。

「もしかするとあの兄弟は油女一族のように毒蜂を操るのかもしれない」

イタチの推測に鬼鮫は顎《あご》に手を添え、考えこむような仕草を見せた。

「そういえばあの毒の症状は蜂に刺されたときのものに似ていました。では〝一発目〟というのは……」

「人間は蜂に刺されると、体内に蜂毒アレルギーの抗体《こうたい》を持つことがある。この抗体が多い人間は、再び蜂に刺されたとき、身体《からだ》に重篤《じゅうとく》な症状を発症する場合がある」

〝一発目〟とは、相手の体にこの抗体を生じさせる攻撃だったのかもしれない。

そしてキイロが『ラスト〝二発目〟だ』と叫んでいたということは――

「お前があの兄弟の毒蜂にもう一度刺されたら、死に至る可能性がある」

イタチの言葉に鬼鮫はハッと鼻で笑った。

「蜂の攻撃を防げばいいってことでしょう？　死と隣りあわせは日常ですしね」

そう言うだろうとは思っていた。忍とはそういうものだ。イタチも小さく笑い、蜂が去った方角から、今度は蜂が元々飛んできた方角へと視線を移す。そこにあの兄弟がいるはずだ。

イタチはあの兄弟が家族に宛てた手紙を握りつぶす。

「行くぞ」

「ええ」

——こんな手紙など出さず、弟を連れてさっさと逃げればよかったのに。

3

毒蜂《どくばち》を見つけた時点で目星はついていた。

森の中でもひときわ太い巨木を見つけたイタチは、周辺を飛ぶ毒蜂の姿を確認する。鬼鮫に目線で合図を送ると、鬼鮫はニヤリと笑った。

「……キイロ！　あいつらだ！」

しかし、飛んでいた毒蜂は見張り役だったのか、巨木の根本に座っていたコダカが俊敏《しゅんびん》に声をあげる。

「どうやら雷遁使《らいとんつか》いの兄が蜂使いのようですね」

キイロが木のうろから飛びだして、慌《あわ》てて印《いん》を結ぼうとした。

「おっと、そうはいきませんよ」

鬼鮫は印を結びかけたキイロの手を鮫肌《サメハダ》で狙《ねら》う。

「つぅッ！」

かする程度ではあったが、削られた手から血が飛び同時にチャクラを奪《うば》いとった。

「昨日《きのう》は散々やられましたからねぇ」

「キイロ！」

「うっせぇな！　さっさと準備しろ！　……水遁《すいとん》・水弾《すいだん》の術！」

距離をとるように後方に飛んだキイロは印を結び直し、口から天に向かって水を吐く。

それは昨日と同じく雨のように降りそそいだ。しかし、昨日よりも圧倒的に水の量が少ない。

「チクショウ、水が少ないが仕方ねぇ……。コダカァ、行くぞ！　ラストの〝二発目〟だ！」

「あ、ああ……」

二人は昨夜と同じように印を結ぶ。あの連携技《わざ》だ。

「くるぞ鬼鮫」

「同じ技を二度は喰《く》らいませんよ。まずは……水遁勝負といきますか」

鬼鮫はキイロに対抗するように印を結ぶ。

一方イタチは雷遁を発動させようとしているコダカを見た。コダカの周《まわ》りに光が大量に出現している。

イタチはその光を見つめ、ぐっと瞳《ひとみ》に力を込めた。

――あれは……。

すると、いくつかの光の中にうっすら見える影がある。更《さら》に目を凝《こ》らすと、それが毒蜂であることをしっかり捉《とら》えた。

更にはコダカのコートの中にも蠢《うごめ》く存在を感じ取る。コートの中だけではない、体の中にも――

「いくぞ、水遁・怒《ど》苦雨《くさめ》ッ」

コダカを見ているうちにキイロが術を唱《とな》え、黒く変色した水で鬼鮫を覆《おお》おうとした。

「水遁・水鮫弾《すいこうだん》の術！」

対抗するように鬼鮫も術を放つ。すると、鮫《さめ》の形を模した水鮫弾が怒苦雨に喰らいついた。

「オレの怒苦雨が……！」

怒苦雨を飲みこみ黒く変色した水鮫がそのままキイロに襲いかかる。

「ギャッ！」

まともに喰らったキイロが吹き飛び木に叩《たた》きつけられた。

「キ、キイロ！　……くっ、雷遁・感電針々《かんでんばりばり》！」

弟を気にしながらも、鬼鮫が術を放つことでできた一瞬の隙《すき》を狙うように、コダカが問題の術を使う。

発光していた光の粒は細い針となって一斉《いっせい》に鬼鮫に飛びかかった。

今度はイタチが印を結び、腹からせりあげたものを頰《ほお》で押さえ、狙う。

「水遁・水飴拿原《みずあめなばら》！」

水に大量のチャクラを練《ね》りこみ、術名のとおり、水飴のような粘着性《ねんちゃくせい》を持たせたそれを、コダカの雷遁に向かって放った。

元より殺傷能力は乏《とぼ》しいコダカの雷撃は、イタチの練った水飴拿原を貫《つらぬ》くことなく途中でチャクラが切れた。

イタチの水遁は粘着性を保《たも》ったまま地面にべちゃりと落下する。その中には身動きできなくなった毒蜂が捕《と》らえられていた。

「ボ……ボクの蜂が……」

術を破られたコダカの顔が青ざめる。

「弟の怒苦雨は視界を奪うためのトラップ。お前の雷遁もいわば目くらまし。本命はお前のチャクラを纏《まと》い雷遁並の速さを手に入れた毒蜂での攻撃だ。そして相手に毒蜂アレルギーの抗体《こうたい》を持たせる。まずこれが〝一発目〟」

イタチの水遁に捕らえられた蜂を見ながら術の種明かしをする。

「だが敵は毒の原因を、まずは怒苦雨だと思う。怒苦雨ではないと勘《かん》づいたとしても、次に疑うのは雷遁の術だ。結果、毒蜂の存在には気づかせず〝二発目〟を突き刺し、ショック症状を引き起こして死に至らせる……どうだ、違うか？」

ピクピクと動いていた毒蜂は、次第《しだい》に力をなくしていく。コダカは術を見破られ顔を強《こわ》張《ば》らせている。

「イタチさんと言えば火遁《かとん》かと思いきや、水遁でしたか」

「木ノ葉にこの術を使う者がいた。本来、地面にまき散らし、敵の足止めをする術だが虫を捕らえるのにもってこいだろう」

冷静な情報分析に洞察力。これもまたイタチの強みである。

イタチの目は、コダカの術が本来どういった場面で使われるかも見破っていた。

これは戦いのための術ではない。

「……ビビってんじゃゃ、ねぇよ、このろくでなし……！」

そこで、鬼鮫の攻撃を受けて吹っ飛んでいたキイロが現れる。衝撃に内臓をやられたのか口から血を零《こぼ》しながらも戦意は失っていなかった。

「こいつら倒せばオレの名が忍界《にんかい》に響《ひび》き渡《わた》るんだよ！　コダカ、ひるんでねぇで〝二発目〟を打ちこみやがれ！」

「キイロ！　もう無理だ。こんな人ら相手に敵《かな》うはずがない。大体この術は──」

コダカの言葉を引《ひ》き継《つ》ぐようにイタチは言う。

「危機に瀕《ひん》した際、逃げるための術、だろう」

イタチの言葉にコダカは固く目を閉じる。

「うっせーぞテメェ！　コダカ！　もうここにきて逃げる選択肢《せんたくし》なんかねぇんだ！　全力で殺せ！」

急《せ》かす弟の声にコダカは覚悟を決めたのか、はたまた諦《あきら》めたのか。厚手のコートに手をかけ、脱ぎ捨てる。

「これは……」

現れたコダカの体の表面には隙間《すきま》なくびっしりと毒蜂が蠢いていたが、異変を感じた毒蜂はコダカから離れ、凶暴に飛び回る。

「……あなたの言うとおりです。ボクらは元々、養蜂《ようほう》を生業《なりわい》にして生きる一族の人間。一族は花の蜜《みつ》を求め、季節とともに旅をする。だけど旅に危険はつきものだ。一族の安全を守るため、ボクら蜂部《はちべ》家がこの秘術を伝承してきた。蜂を使う一族は他にもいるそうですが、ボクら蜂部の秘術は自己防衛のために生みだされた独自の秘術」

獰猛《どうもう》な毒蜂を従えながらも自分たちの命を守るための行為なのだ。奪うための秘術ではない。

「フン……元をたどれば蟲使《むしつか》いの油女一族に繋《つな》がるって話もあるがな。だが、蜂部の秘術は一子《いっし》相伝《そうでん》。毒蜂は長子《ちょうし》にのみ伝えられ、二番目の子供は長子を守るため、忍術を覚える」

キイロは毒蜂を見て憎らしげにそう語る。

「しかしそれなら、何故《なぜ》アナタたちは一族の傍《そば》にいないのです？　一子相伝の秘術であれば代用も利《き》かないでしょう」

不思議がる鬼鮫にキイロは拳《こぶし》を握りしめた。

「危険を冒《おか》しながらも収穫したオレたち一族の蜜は、薬にも使えるほど質が高かった！　だけど一族はいつしかその危険を恐れ、旅をやめ、村を作り定住するように……」

「一族は、養蜂も捨てました」

それを聞いて、イタチはすぐに察した。安全を求める者たちが、何を恐れるかを。

「危険を忘れた一族は、蜂部の力を恐れるようになった！　代々一族を守り続けたこの蜂部をだッ!!」

強い力は忌《い》み嫌《きら》われる。彼らの話はイタチにしても、鬼鮫にしても、遠い話ではなかった。

「親が他界したあと、毒蜂と呼ばれるボクと、忍術を身につけたキイロへの当たりは強くなった。村にいては仕事も与えてもらえない。ボクたちにはまだ下に弟たちがいる。ボクたちは弟たちを養《やしな》っていかなければならない……」

先ほど見つけた手紙は、コダカがその弟たちに宛《あ》てたものだったのだろう。

「ちょうどその頃、ボクたちの秘術を聞きつけた霧隠れの忍《しのび》がスカウトに来た。ボクらは村を出て、様々な任務を行うようになった」

「忍の世界はいいぜ……！　力があれば認められる、力があれば何でもできる！　村のクズどもとは大違いだ」

キイロの言葉にコダカは表情を曇《くも》らせる。そんなコダカにキイロは気づかない。

「無駄話は終わりだ、コダカ、やっちまえッ！」

そこにコダカの意思はあるのだろうか。哀《かな》しげな表情を浮かべたまま、コダカが両手を広げた。

「……行け！」

周囲を飛んでいた蜂が集まり、大きな塊《かたまり》となってイタチたちに襲いかかる。

「水遁・水飴拿原！」

先ほど同様、蜂に向かって水飴拿原を使うが、毒蜂の数が段違いだ。すり抜けた蜂はイタチと鬼鮫を狙う。

「鬼鮫、いったん水牢《すいろう》の術をかけておけ！」

「防戦は好きじゃありませんが仕方ないですねェ……。水牢の術！」

本来、水牢は敵を水の中に閉じこめる術だ。しかし鬼鮫はそれを自分にかける。

「クッ……」

毒蜂が果敢《かかん》にも水牢につっこんだが、蜂が水の中を泳げるはずもなく途中で息絶《いきた》えた。

鬼鮫の体をすっぽり包みこむ水牢は蜂の攻撃を一切《いっさい》受けつけない。

それを横目に確認しながらイタチは跳躍《ちょうやく》した。

結ぶ印は火遁の印。

本来であれば術者であるコダカを狙うのが好ましいが、イタチは「なんとかしろよ！」とコダカを怒鳴《どな》りつけるキイロを捉《とら》えていた。

兄弟のことなら、痛いほどわかる。

「火遁・豪火球《ごうかきゅう》の術ッ！」

うちは一族の十八番《オハコ》、豪火球の術。灼熱《しゃくねつ》の炎がキイロに向かう。

自分が狙われるとは思っていなかったのか、虚を突かれたキイロが唖然《あぜん》と炎を見上げた。

「――ッ！　キイロ！」

炎がキイロを焼きつくすよりも早く、コダカが跳《と》ぶ。懸命に伸ばした手がキイロの体を突き飛ばした。

「つぎゃあああああああああああ!!」

燃え盛る炎。コダカの体が燃えあがる。

「コ、コダカ……」

地べたに座りこみ何もできないキイロ。

炎を全《すべ》て吐きだし周辺の木々が燃えるなか、コダカの姿が浮かびあがった。

皮膚がただれ、肉が焼ける異臭《いしゅう》を放つその体。それでも、二本の足で立っている。

「毒蜂が庇《かば》ったのか」

焼《や》け焦《こ》げ燃えつき姿形は残っていないが、コダカの傍《そば》にいた毒蜂が彼を守ろうとしたようだ。

コダカは最後の力を振《ふ》り絞《しぼ》るように残った蜂たちを呼び寄せる。

鬼鮫は水牢に守られており、手が届かない。

イタチにはまだ〝一発目〟さえ打ちこんでいない。

勝敗は既《すで》に決しているかと思われたが、ここにきて、コダカの瞳《ひとみ》に強い意志が宿った。

これが彼の最後の攻撃になるだろう。イタチは彼の一挙一動を逃《のが》さぬよう、目を開いた。

「……襲え……ッ！」

叫びとともに毒蜂がコダカの意志を背負って空を飛ぶ。イタチか、鬼鮫か。答えはそのどちらでもなかった。

「え、は、おい、おいッ！」

毒蜂が向かったのは弟のキイロだったのだ。そして、一斉《いっせい》に刺す。

「ぎゃあああああ！」

激しい痛みにキイロが叫び転がるが、毒蜂は容赦《ようしゃ》なく彼を追い何度も突き刺した。

「どういうことですか」

予想外の展開に、鬼鮫も目を見張る。コダカはその場に座りこみ、苦しむ弟を見ながら醜《みにく》く笑った。

「どうしたってあなたたちに勝てるはずがない……だからボクは、ボクの願いを叶《かな》えるんです」

願い？　と問いかけるイタチにコダカはこくりと頷《うなず》く。彼は体を引きずるようにして、蜂に襲われ身動きできないキイロの傍に近づいた。

「ボクは本当は、忍になんてなりたくなかった……人を殺したくはなかった……差別と偏見に満ちあふれようとも、貧しくとも、細々と養蜂を続けて、家族みんなでいられれば、それで……なのにキイロが……！」

キイロのすぐ傍まで近づくと、コダカはクナイを取りだした。

「キイロが……！　キイロがボクから全て奪った……ッ！　キイロはボクを憎んでいたけど、それ以上にボクはキイロを憎んでいたッ！　もう逃げられない、どうせここで死ぬ、だったらボクの手でッ」

コダカはクナイを持った手を大きく振りあげる。

「呪《のろ》われた毒蜂の運命とともに、蜂部を終わらせるよ……」

蜂に覆われたキイロの体をコダカはクナイで突き刺した。

「コ、ダカ……兄さ……」

「大丈夫だ……、ボクも一緒に、死ぬから……」

コダカはキイロを突き刺したクナイで己《おのれ》の心臓を刺す。

「それでもボクは、お前も……他の弟たちも……愛しているよ……」

崩れた体がキイロに重《かさ》なる。毒蜂は主《あるじ》を失ったことを悲しむように彼らの皮膚の上を這《は》いずり回り続けた。

「……兄弟というものは愛情が憎しみに変わると手がつけられませんね」

水牢の術を解いた鬼鮫がそう呟《つぶや》いた。彼ら蜂部兄弟に向けられた言葉が、何故かイタチにも突き刺さる。

他に方法はなかったのか。

人は安易《あんい》にそう言うだろう。だが追いつめられた人間の選択肢《せんたくし》など、極端に少ない。

「……これ以上ここにいたら興奮した毒蜂に刺される可能性がある。行くぞ」

「ええ」

動かなくなった二人を瞳におさめ、静かに背を向ける。

頭を過《よぎ》るのは弟、サスケの姿。

憎しみの果てにたどり着く場所は本当にイタチが思い描いた道だろうか。

しかしすぐにその思考を否定した。

サスケは優しい子だ。驚くほどに純真で、大事な人間の色にすぐ染まる。

それは心の弱さを作り、向上心を消すのだ。

だから黒く、黒く、真っ黒く、憎しみという闇《やみ》で塗りつぶす。

戦《いくさ》が続くこの世界、欲望に晒《さら》されやすいうちはの血が、瞳が、生き延びるためには、誰にも負けない強さを手に入れるほかないのだから。

——サスケ。

彼に全てを託して死ぬ覚悟はとっくにできている。あとは彼がイタチのもとに上り詰めるのを待てばいい。

ただ一つだけ、後悔するならば。

コダカのように、本当の想《おも》いを告げることなく死ななければならないことだろう。

——お前も……他の弟たちも……愛しているよ。

キイロに聞こえていたかどうかわからない。だがこの世界に打ち明けることができた想い。

全てを胸に抱《かか》えたイタチにとって、それがただただ、羨《うらや》ましかった。

最期《さいご》の瞬間、己は何を語るのだろうか。それもやはり、死の瞬間までわからない。

偽りの谷

1

人は生きることを美しい言葉で飾り立て、さも崇高《すうこう》なことのように言う。

しかし、生きることは奪《うば》うこと。罪《つみ》を重《かさ》ね続けること。

腹の足《た》しにもならない美徳を説いて何になる。

略奪者として、加害者として、傲慢《ごうまん》に生きることこそ自然の摂理《せつり》。

ご託《たく》はいらない。それが永遠の略奪者。


「……なぁ、もういい加減切りあげようぜ」

谷底から吹きあげる風が、森の中に清涼《せいりょう》な空気を流す。

四方を山に囲まれ、人里からも遠く離れたこの場所は、ねぐらにするにはちょうどいいだろう。

しかし、ジャシン教を信仰し、ジャシン様への贄《にえ》を、殺戮《さつりく》を求めている飛段《ヒダン》にとって、これほど退屈な場所はなかった。

こんなつまらない場所にいる理由が、金儲《かねもう》けのためだと思うと、〝暁《あかつき》〟のルールを無視して原因を作る相手を殺したくなる。

そうはいっても、殺したところで死なないのは相手も自分も同じなので、無意味な争いになりそうだが。

「あー、戒律《かいりつ》守るためにも、こんなつまらない森はさっさと抜けて、目につく者全《すべ》て殺戮したいぜー」

〝暁〟という組織に不承不承《ふしょうぶしょう》身を置いている飛段は、目の前を歩く男、〝暁〟でコンビを組んでいる角都《カクズ》に訴《うった》えかける。

「千五百万両の賞金首がこの森にいるらしいと換金屋《かんきんや》の男が言っていた。あいつは金にならない話はしない」

信憑性《しんぴょうせい》のある情報だと角都は言いたいのだろう。だが、やはり飛段にとってはどうでもいい話だった。

そもそも信仰心で形作られた宗教信者にとって金への執着《しゅうちゃく》は御法度《ごはっと》の一つ。

信じられるものは金だけなどと頻繁《ひんぱん》に口にする角都は、飛段と真逆《まぎゃく》の存在とも言える。

飛段はうんざりした表情を浮かべ、ふと目についた切り株に腰かけた。元は大木だったのか、その上に寝転がれるほどの大きさだ。

「あてもなく歩きまわんのはもーゴメンだ。今日も儀式をやれないことを懺悔《ざんげ》する祈りを捧《ささ》げなきゃなんねーし、探すなら角都、お前一人で行ってこいよ。オレはここから一歩も動かねーからな」

飛段はジャシン教のシンボルマークがついたネックレスを取りだす。

今度は角都が「また祈りか……」と呆《あき》れながら、飛段が腰かけた切り株を見た。

「…………」

そして何かに気づいたようだ。

「……単純なことを見落とすところだった」

「んぁ？　何をだ？」

「この近辺に人がいると見て間違いないだろう」

「はぁーっ？」

周囲は険《けわ》しい山々に囲まれ、どこまでも続く広い森。もはやここは人ではなく獣《けもの》の領域だ。

既《すで》に何度も角都には訴えたが、こんなところに人がいるはずがない。

しかし角都は飛段が腰かける切り株を顎《あご》で指《さ》す。

「その切り株、落雷や倒木で自然にできたものではない。人の手によって切られたものだ」

飛段は腰かけた切り株を改めて見る。切り口はテーブルのように真っ平らだ。

「あー、まぁそうだけどよ」

そこは納得したが、だからといって人がいる可能性に関しては頷《うなず》けない。

「すげー昔に誰かが切って持ってったとかじゃねーの。例《たと》えば礼拝堂の椅子《いす》を作るとかでさぁ」

「それにしては切り口が真新しい」

「ん？　んー、それもそうか……いやだけどさぁ！」

とにかくこんな森から早くおさらばしたいのだ。

「こんだけ探したっていないんだぜ！　向こうからやってこねーかぎり見つけだすの無理だろ！」

だから諦《あきら》めよう、そう、続けるつもりだったのだが。

「……な、なんだお前たちぁッ！」

突然、見知らぬ男の声が響《ひび》いたのだ。さすがにぎょっとしてそちらを見れば、中年の男が立っている。

喜怒哀楽《きどあいらく》の変化が乏《とぼ》しい角都だが、相手の顔を確認した途端、機嫌《きげん》がよくなったのを飛段は感じた。

「どうやら向こうから来てくれたようだ」

「マジかよ！」

機嫌がよくなったのは角都だけではない。

「よっしゃあああッ！　ジャシン様ぁーッ！　やっと儀式ができそうですよォー！」

久方《ひさかた》ぶりに会えた人間。懺悔のために握りしめていたネックレスだったが、儀式を行う祈りに変え、飛段は勢いよく切り株から立ちあがる。

「今日はもう一歩も動かないんじゃなかったのか」

「儀式ができるとなれば別だっての！　いい加減儀式しとかねーとジャシン様の祝福が遠ざかるしな。ジャシン様との繋《つな》がりが薄れたらオレはオレでいられなく……」

「……そういう宗教感覚はわからんが、お前の話が長い所為《せい》で千五百万両が逃げようとしているのはわかるぞ」

見れば角都の言うとおり、相手はこちらに背を向け一目散に走りだしている。

「せっかく見つけた千五百万両だ。逃がすくらいならオレが殺すが」

「オレが殺《や》るっつってんだろ！　てめーはそこから一歩も動くな！」

飛段は怒りながら切り株を指さす。角都はやれやれと腕を組み、言った。

「……飛段。調子に乗っていたら死ぬぞ」

「それをオレに言うかァ、角都！」

飛段はニヤリと笑って土を蹴《け》る。距離は一瞬で縮まり、飛段は三枚の刃《やいば》を備《そな》えた大鎌《おおがま》を振り下ろした。

「ギャッ！」

刃は相手の身をかすめ血を散らす。しかし、致命傷とまではいかない。

「く、くそ、こうなったら戦ってでも……」

逃げきれないと思った相手が振り返り印《いん》を結ぼうとするが、相手の血を手に入れた飛段は「ゲハハハハァ！」と高笑いした。

飛段は衣《ころも》の内側からもう一つの武器を取りだす。ただの棒に見えるが、飛段が上下に振ると先端が伸び、鋭い槍《やり》になった。

「ジャシン様ァアアッ！　オレの信仰見せつけてやりますよオォオッ！」

飛段は尖《とが》った先端を己《おのれ》の手のひらに突き刺した。予想外の行動に賞金首は目を丸くする。

「クク……」

武器を引き抜き、溢《あふ》れる血を地面に垂《た》らして描くのはジャシン教のマーク。その中心に立った飛段は大鎌にへばりついていた相手の血をべろりと舐《な》めた。すると、体にガイコツに似た紋様《もんよう》が浮かびあがる。

「条件は整った……コレコレコレコレコレェエエエエェッ！　ジャシン様がお喜びだぜえええぇッ！」

テンションはもはや最高潮《さいこうちょう》。もう我慢できない。あの最上級の痛みを今すぐこの体に。

「いくぜえぇッ!!」

飛段は己の心臓を突き刺した。飛段の行動に戸惑《とまど》うばかりだった男は、何が起きたのか理解することなく心臓に激痛が走り、口から血を噴《ふ》きだす。

「気持ちイィ……ッ！」

久しぶりに味わう死の感触。それは強い快感へと変わり飛段の体を支配する。賞金首は結局、何もすることができず死んでいった。飛段の荒い呼吸だけがこの場に残る。

「……す、すごい」

ところが、また新《あら》たな声が聞こえたのだ。

死の痛みを余すことなく堪能《たんのう》し、最後の余韻《よいん》も噛《か》みしめようとしていた飛段は現実に引き戻される。

「誰だ、ジャマすんのはッ!」

警戒と苛立《いらだ》ちを含んだ目で声の主《ぬし》を見たのだが、確認するなり脱力した。

こんなところに人なんかいないない、散々そう言っていたのに、今度は十代くらいの少年が木の陰《かげ》からこちらを見ていたのだ。しかも嬉《うれ》しそうに。

土遊びでもしていたのか、手には泥団子《どろだんご》を握りしめている。

「なんだぁ、お前」

飛段は思わず首を傾《かし》げた。

「……どうした、飛段。祈りは終わったのか」

何か様子《ようす》がおかしいことに気づいて、切り株で待機していた角都が姿を見せた。

「これからだっての! つーか角都、子供がいんぜ」

飛段が木陰から覗《のぞ》きこむ少年を指さすと、角都は飛段を見る。

「飛段、子供といえども気を抜くな……死ぬぞ」

「死ねるもんなら死にてーっつーの。つーかこんなガキにやられるか!」

飛段は再び鎌を摑《つか》み、ぐるりと一回転させた。

「とりあえず殺すか」

早々に片づけてしまおうと思ったのだが少年は逃げようともしない。それどころか頰《ほお》を上気させている。

「……待て、飛段。奇妙なガキだな……」

不審に思ったのか、鎌を構《かま》えた飛段を角都が止めた。

「まぁ、たしかになぁ……」

鎌を下ろして少年を見下ろすと、彼は拳《こぶし》をぎゅっと握りしめ、「あの！」と前のめりになりながら聞いてくる。

「その技《わざ》ってどうやってやってるんですか！　痛くないんですか！」

「ハァ？　痛《い》てーに決まってるだろ。死ぬほどってレベルじゃねー、まさに死ぬ痛みだからな」

「死ぬ痛み……！　相手を殺すために自分も死の痛みを味わう……相手の死を体に刻《きざ》みつける……格好《かつこ》いい……ッ！」

はしゃぐ少年を見て、飛段は角都に「こいつ、変だな」と言う。

「オレにしてみればお前も変だがな……」

「んだとぉーッ！」

思わず声を荒《あら》らげる飛段だが、少年はやはり臆《おく》さず、更《さら》に聞いてきた。

「死ぬ痛みって、辛《つら》くないんですか！　怖《こわ》くないんですか！」

「あぁ……？　オレはジャシン教の信者だぜ？　ジャシン様がオレを見守ってくれてるのがわかれば怖いものなんかねーよ」

「ジャシン教、ジャシン様……」

少年はそのワードを何度も繰《く》り返《かえ》す。そして、答えを見つけたようにパッと顔を上げた。

「あのッ！　ボクもジャシン教に入りたいです！　どうやったら入れますか！」

思いがけない言葉に角都が「とんでもないバカだな、このガキ」と言う。

「おい、どういう意味だよ！　ジャシン教は世界最強唯一無二《ゆいいつむに》の宗教だぞ！　入信したい奴《やつ》がいてもおかしくねーだろ！」

ほんの少し前、この少年を変だと言った飛段だが、角都の言葉に何故《なぜ》か飛段も含まれているような気がして反論する。

「あの！　そうです！　おかしくないです！」

飛段に同意するように少年も一緒になって叫んだ。角都は「信じられるのは金だけだがな」と自分の主張を口にしつつ、少年に問う。

「お前、名前は」

角都が人に名前を聞くとは珍しい。

「あの、歩々月《ほほづき》っていいます！」

歩々月。飛段は改めて彼を見る。見た目はどこにでもいそうな、愛嬌《あいきよう》のある少年だ。しかし、飛段の儀式で殺された人間を見ても動じないどころかジャシン教に入信したいと言いだすのだから、頭のネジが飛んでいる。

そうは言っても、ジャシン教の信者が増《ふ》えるのは喜ばしいことだ。

この少年が本気なら、ジャシン教の成り立ちから素晴らしい教え、厳しい戒律まで事細《ことこま》かに教えなければならない。

ひとまず、今の飛段がすべきことは――

「殺戮を終えた祈りがまだ終わってねーんだよ。話はそれからだ」

飛段は己の血で描いたジャシン教のマークの上に横たわる。

「ジャシン教の儀式……！　あの！　しっかり拝見します！」

歩々月は少し距離を置き、正座した。まさに見学の体勢だ。

「……その無駄に長い祈り省略できんのか」

「祈りに長いとか短いとかいう概念《がいねん》ねーから！　この罰当《ばちあ》たりが！」

「つーわけで、ジャシン教は殺戮《さつりく》がモットー。『汝《なんじ》、隣人を殺戮せよ』『右の頬《ほお》を打たれたら左の心臓を奪《うば》え』他にも代表的な格言は……」

角都曰《いわ》く無駄に長い祈りを終え、体中の特殊な紋様《もんよう》が消えたあと、飛段は熱心な眼差《まなざ》しで儀式を見守っていた歩々月にジャシン教の教えについて説《と》き始めた。

「あの、殺戮こそが本物の救いってことになりますよね、それって。でも、殺戮を行うためには力が必要ってことですか」

「おお。こっちが殺戮されちまったらジャシン教の崇高《すうこう》な教えを世界に伝えることができなくなる。ジャシン教の教えを永遠にするため、信者たちの数多《あまた》の犠牲《ぎせい》の上に生みだされたのがオレの不死って訳《わけ》だ」

ジャシン教の教義について語れるのは久しぶりだ。語るうちに熱が入ってきた。しかし、逆に冷《さ》めている男がいる。

「……お前たちの話につきあうのは飽《あ》きた。いい加減切りあげろ」

賞金首の死体は切り株の根本に転がし、本人は切り株に腰かけて、こちらの話を無視するように黙っていた角都が文句をつけてくる。

「おい！　こっちはてめーのバイトに何日つきあわされたと思ってんだよ！　それに比《くら》べたらたいしたことねーだろ！」

人のこと言える立場かと怒鳴《どな》りつけ、

「お前の目的だって達成したじゃねーか！」

と転がる死体を指さす。それに対して角都は首を横に振った。

「こいつの家族にも賞金がかかっている」

「ハァ……？」

「察しが悪いな……こいつの家族も探すと言っている」

「……ハァッ!?」

あとは森を出るだけだと思っていたというのにまさかの延長戦発言。

「何言ってんだよ！　こいつ探すだけで何日かかったと思ってんだ！　無駄歩きはもうゴメンだぜ！」

ろくに儀式もできないこんな森、さっさと抜けたいのだ。しかし角都は「バカかお前は」と言う。

「バカってどういうことだよ！」

「こいつがここにいたってことは巣が近いってことだ」

「巣？」

「そう遠くない場所にこいつの住《す》み処《か》があるはず。そこに家族がいる可能性も高い」

それに、と角都が歩々月を見る。

「おい、小僧。お前、どこから来た」

「え？　あの、ボクですか？」

「こんな山深い森でガキが一人生きていけるはずがない。この辺に隠れ里があるんじゃないのか」

歩々月は迷うように視線を泳がせたが、飛段が「どーなんだ？」と尋《たず》ねると素直《すなお》に頷《うなず》いた。

「あの、あります、ボクが住んでいる村……。このすぐ近くです」

歩々月が村の方角を指さす。それは飛段たちが歩いてきた方角だ。

「はぁ？　オレらはそっちから来たけど、村なんかなかったぞ」

「あのあの、でもあるんです」

嘘《うそ》をついているようには見えない。飛段が角都に戸惑《とまど》った視線を送ると、角都は足下《あしもと》に転がっていた賞金首の髪を摑《つか》み、ぐいっと持ちあげた。泥土《どろつち》と血に染まった男の顔があらわになる。

「こいつもその村の住人か？」

歩々月は死体に怯《ひる》むことなくぐっと体を寄せて賞金首の顔を確認した。

眉間《みけん》に皺《しわ》を寄せ、大きな目を細めて、一生懸命考えているようだったが最終的には首を捻《ひね》る。

「あの、多分村の人だと思うんですけど……見覚えないんですよね」

「そんだけ規模がデカイ村なのか？」

「そんなことはないです。ひととおり、村の人の顔はわかりますよ。この人も村にいればわかったんでしょうけど……」

村人の顔はわかり、この男も村人だろうと予想を立てているのに見覚えがないとは矛盾《むじゅん》している。そもそも村があるかどうかも疑わしい。その疑念を歩々月も感じたのだろう。

「あの、村に行きたいならボク案内します！」

どうやらその疑念を晴らしたいらしい。

「だってよ」

とりあえず行ってみればいいのではないかと思う飛段とは違い、角都は慎重《しんちょう》だ。

「お前はオレたちがこの賞金首……お前が住む村の人間を殺す姿を目撃した。そしてオレたちはこれから、この男の家族を殺そうとしている。何故《なぜ》、その手引きをしようとする？」

「それはあの！　ボクもジャシン教に入りたいからです！　正直、ボクはあの村が好きじゃないし……」

歩々月は持っていた泥団子《どろだんご》を落ち着きなくいじる。

「なんだぁ、お前、村が嫌いなのか」

「はい……。実はボクの村も、それこそ宗教によく似た共有価値観というのがあって……」

「共有価値観？」

「過去は全《すべ》て消し去り、幸福に生きるのがモットーなんです。ハッピーじゃないことは忘れてしまえって。平和を愛し、この世の楽園に変えるんだ、って」

「ふーん、なるほど。うちの宗派とは合いそうにねーな」

飛段の言葉に歩々月が「そうなんです！」と同意する。

「ボクの友達がここで生きていこうって言うから我慢してたんですけど……死の痛みさえも体に刻《きざ》みつけて生きていく飛段さんを見て、これだって！　ボクもあんな生き方したいって思ったんです！　だから信じてください！」

歩々月は真《ま》っ直《す》ぐな瞳《ひとみ》で飛段を見つめてくる。

「……ひとまず村に案内してもらおうか。お前の言葉を信じるのはそれからだ」

横から角都にそう言われ、歩々月はこくりと頷いた。

少年は切り株を始点に真南へと歩きだす。

「どうすんだぁー、角都？」

歩々月のあとに続きながら、飛段はやる気なさげに角都に問うた。

「ここまで来たんだ、取れる金は取っておく」

「ホンット、お前は金、金、金、金だな！」

果たして歩々月が言うようにすぐ近くに村はあるのだろうか。そしてそこに、角都が狙《ねら》っている賞金首の家族もいるのだろうか。

金にはとんと興味がないが、もし、村があるなら殺戮を行うことができるかもしれない。ここ数日、ジャシン様に贄《にえ》を出せず懺悔《ざんげ》ばかりしていたのだ。その穴埋めができるなら、飛段はそれでよかった。

3

「……ここです」

そう言って歩々月が示したのは断崖《だんがい》絶壁だった。

崖《がけ》から下を覗《のぞ》きこめば、底を流れる川が見える。あの川が月日をかけて、この崖を削っていったのだろう。

谷を吹き抜ける風は強く、時折、崖底の水をさらって森に運んでいる。

「……こんなトコに村があるはずねーだろ！」

思わず叫んだ飛段に「あのあの、ちゃんとあるんです！」と歩々月が言う。

彼は持っていた泥団子《どろだんご》を飛段と角都に見せてから、思いきり対岸の崖に投げつけた。

「何やってんだ？」

小さな泥団子を目を凝《こ》らして追っていると、泥団子が向こうの壁に衝突——しない。

「んぁ、消えた……ッ？」

泥団子は対岸に到達したと同時に、姿が消えて見えなくなったのだ。

「ちっ、幻術《げんじゅつ》か……」

状況を理解したのか角都が周囲を鋭く睨《にら》みつける。

「おいおい、角都、どういうことだよ！」

「気づかぬうちに幻術にかけられていたようだ。その所為《せい》で、オレたちにはここが崖にしか見えない」

そこで谷底から強い風が舞いあがった。

崖の縁《ふち》に立っていた影響で、風に含まれた川の水が霧のように頬《ほお》に触れる。角都はすんと鼻をならして「これが原因か」と呟《つぶや》いた。

「なぁなぁ、どういうことだよ！」

「あの、舞いあがる川底の水に幻術作用がある香りを練《ね》りこんで、飛ばしているんです。香りにはリラックス効果もあるので、森の清涼《せいりよう》な空気だと勘違《かんちが》いさせ、幻術にかかっていることを意識させない力があります」

考えてみると、この一帯はやたらと空気が綺麗《きれい》に感じられた。

角都は素早く印《いん》を結ぶ。

「解《かい》！」

幻術返しを行い、改めて崖を見た角都は「そういうことか……」と納得した表情だ。

「角都！　オレにも見せろよ！」

必死で訴《うった》えかける飛段に「自分でやれ」と文句を言いながらも角都が飛段の幻術も解いてやる。

「……！　マジかよ……」

飛段はその光景に息を飲んだ。

崖の中腹には巨大な穴があり、その穴の中に家が建ち並んでいたのだ。

芸術のことしか頭にない〝暁〟メンバー、デイダラがこれを見たら、すぐに爆破したくなりそうな不思議な情緒《じようちよ》がある。

「……村の人は〝桃源郷《とうげんきょう》〟って呼んでます……」

快活だった歩々月だが、村を見てその目が暗く濁《にご》ったような気がした。しかし、飛段にとってはどうでもいい話だ。

「あそこに、賞金首の家族がいんのかね。どうする角都よ。皆殺しにしちまうか？」

飛段と角都が揃《そろ》えば、あの程度の規模の村を殲滅《せんめつ》することなど造作《ぞうさ》ない。しかし角都はいや、と否定する。

「かなり特殊な環境だ……内部を探って損はないだろう」

「金の臭《にお》いでもすんのか？」

「……まぁな」

どうせなら派手に暴れたかったのだが、潜入捜査をするなら儀式は先延ばしだ。飛段のテンションが一気に下がる。

「あの、村の人たちは〝村の中では〟それぞれお互いの顔を把握《はあく》しています。そのまま村に入るとすぐにバレるんじゃないかと」

歩々月は角都を心配するようにそう言った。

「これだけ人目を避けている村だ……そうなるだろうな」

「どーすんだよ角都」

やっぱ皆殺しにするか？　と安易《あんい》に提案する飛段だったが、歩々月が「あの」と話に入ってくる。

「よかったら、変化《へんげ》の術でボクの姿を使ってください。それならバレませんから」

自分の顔を指さす歩々月。角都はそれを聞いて「フン」と鼻をならし、印を結んだ。

「おー」

寸分違《すんぶんたが》わず同じ見た目だ。並ぶとどちらが本物かわからない。

「角都、オレは？」

「お前は潜入に向いていない……ここで待っていろ」

そうなるだろうと思ったが、つまんねーの、と唇《くちびる》を尖《とが》らせる。

「あの、村の作りは複雑なので、道案内がいないとわかんないと思います。村に入ったら少し奥に木の柱があるのでそこに行ってください。そしたらボクの友達の〝飴雪《あめゆき》〟が近づいてくるはずです。そしたら――」

歩々月はその場にしゃがみこむと土を集めてこねくり回す。それはあっという間《ま》に大きな泥団子になり、それを角都に差しだした。

「これを飴雪に渡せば上手《うま》くいくと思います」

なんてことのない泥団子が一体何になるのだと思ったが、角都はそれを受け取った。

「で、村への入り方は？」

崖の中腹にある村は、中に入るのも難しそうだ。

「ジャンプです」

しかしここにきて随分《ずいぶん》と原始的な方法がきた。

「おいおい、なんだよそれ」

「下手《へた》に道を作ったら、人に気づかれたり、侵入されやすくなったりするから、作ってないそうです。みんな、忍者だからなんとか入れます」

「つーことはお前も忍者なのか？」

とてもそうは見えないのだが。歩々月は泥がついた両手をこすりあわせ、こくりと頷《うなず》く。

「飛段、お前はそいつを見張っていろ。行ってくる」

方法がそれしかないなら飛ぶしかない。角都は崖を蹴《け》り、高く跳躍《ちょうやく》した。先ほど歩々月が対岸の崖に向かって投げた泥団子の軌道と同じ動きだ。

「長く生きてるだけあって、なんだかんだで器用だよなー、角都はよ」

彼は見事に着地し、特にこちらを振り向くこともなく村の方、穴の奥へと消えていく。

「さて、と。オレは待機か。つまんねーな」

「あの、よかったらジャシン教についてもっと詳《くわ》しく聞かせてください！」

体をほぐすように首をならし、ぐっと両腕を伸ばしていると、歩々月が言う。

〝暁〟に入ってからというもの、周《まわ》りは無神論者ばかり。飛段がジャシン教について語ろうとしてもろくに聞かない。

「仕方ねーな！　そもそもジャシン教ってのはなー」


「……珍しい作りだな」

飛段がジャシン教について語りだした頃。角都は村に足を踏み入れていた。

入り口近くには村の住人らしき男が数人おり、なにやら印を結んでいる。

恐らくこの男たちが吹きあげる川の水に幻術をかけているのだろう。毎日休むことなくこれを続けているのだとしたら、相当な用心深さだ。

外から見たときはわからなかったが、穴の中は想像以上に奥行きがあり、びっしりと建物が並んでいる。ここで人探しをするのはかなり時間がかかりそうだ。

飛段がしびれを切らして暴れださないかが気がかりだが、あの歩々月という少年がいればジャシン教話でしばらくもつだろう。

入り口から少し奥に入ると、歩々月が言っていたように太い大木の幹《みき》が柱となって穴を支えていた。家でいえば大黒柱《だいこくばしら》だ。

ここにいれば彼の友人とやらがやってくるはずなのだが。角都は窮屈《きゅうくつ》に感じる歩々月の姿のまま、周囲を見渡す。

「……歩々月」

すると、木の陰《かげ》からこちらに向かって呼びかける声が聞こえた。

目をやると、褐色《かっしょく》の肌に銀の髪、男とも女とも判別のつかないすらりとした体軀《たいく》の人間が現れる。中性的だがどうやら男らしい。年は歩々月よりも少し上だろう。

「〝飴雪〟か」

名を呼ぶと、彼は何かを察したように足を止める。彼の視線は角都が手に持っていた泥団子へと移った。角都は歩々月に言われたようにその泥団子を手渡す。泥団子からはチャクラを感じる。

「…………」

彼はそれを手に取ると、すぐに握りつぶした。泥団子に込められていたらしいチャクラが彼の体に入りこむ。

「なるほど……そういうことですか……」

どうやらこの泥団子は伝達の役目を果たしていたらしい。

「わかりました。私は飴雪……歩々月の友人です……」

深々と頭を下げた飴雪は「案内しますよ……」と言って歩きだした。

歩々月が一体どんな風《ふう》に角都のことを伝えたのか判断がつかないが、丁重《ていちょう》に客人をもてなすような仕草だ。

ただ、歩々月とこの飴雪という少年二人を全《すべ》て信用するほど角都も青くはない。

「何故《なぜ》私が協力するか……それを疑問に思っておられますか……？」

飛段や歩々月に比《くら》べるとこの少年は随分《ずいぶん》察しがいいようだ。

「簡単なことです……。私には意思がない……歩々月の望むまま、ただ生きている……。目を凝らしたところで何も見えない……そう……私は空《から》っぽな器《うつわ》……」

まるで生きた亡霊、唇から漏《も》れる言葉はまさに虚無。

「……歩々月は友達がこの村で生きようと言うからここで生きていると言っていたが？」

歩々月から聞いた内容にそぐわない言葉に、角都が問う。

「村で生きる……それも歩々月の意思……私は……飴雪でしかありませんから……」

飴雪の返事は答えになっていない。不可解なことばかり口にする。

「私のことはどうぞ気になさらずに……あなたはあなたの器を満たす探しものを……」

穴倉《あなぐら》の村は光が乏《とぼ》しく陰気に見えるが、村人は明るく笑顔で行き来している。

「やぁ、今日も平和だね」

「ちゃんと前を向いているかい」

「今日も私たちは生きている、幸せだねぇ」

村人は会うたびにそんな言葉を口にした。

「……平和と幸福の押しつけだな」

飛段を連れてきていたら暴れだしていそうだ。

「これがこの村の共有価値観です……過去は消し去り、幸福に生きる……」

「お前はそれが成り立つと思っているのか？」

「……さぁ……私は歩々月のことしかわからない……わからないけど、ただ……」

「ただ？」

飴雪が静かに振り返り、穴倉の対岸、緑豊かな森の方へと視線を向ける。

「あなたたちが殺した男の顔を歩々月がわからなかったというなら……実際はそういうことなのでしょう……〝桃源郷〟など存在しない……ここは……〝偽《いつわ》りの谷〟」

飴雪は瞳《ひとみ》を泥のように濁らせ、そう吐き捨てた。

「……つーわけで、ジャシン教の教えこそ最強なんだぜ」

角都が〝桃源郷〟を調べている最中、崖沿《がけぞ》いにいると再び幻術にかかるかもしれないと言われ、切り株のところに戻った飛段と歩々月。何を聞いても感動しきりの歩々月は「ますます入信したくなりました！」と熱く語った。

「あの！　でも、殺戮《さつりく》って難しいですよね……。平和を望む人たちに逆に殺されてしまいそうですし」

「そいつらも全部殺せば問題ねーよ。大体、平和を口にする奴《やつ》ほど薄っぺらいもんはないぜ」

飛段は馬鹿にするように鼻で笑い、更《さら》に続ける。

「昔、オレの周《まわ》りにも平和主義の無神論者がいた。戦いを避け、人を傷つけることを恐れる臆病者だ。こういう奴らはみんな口ばっか」

「そうなんですか？」

飛段は「ああ」と頷く。

「平和ボケに愛想《あいそ》が尽《つ》きてオレが牙《きば》を剝《む》いたとき、こいつらが何をしたかわかるか？　オレを殺そうとしたんだよ。平和が好きで、戦いを嫌うなら、オレのなすがまま死ねばいい話なのにな」

飛段の話に、歩々月はハッとした表情を浮かべ、「たしかに」と同意した。

「結局は、自分が安全安心で死を遠ざけた世界で生きたいって願望を人に押しつけてるだけなんだよ。それを壊されそうになれば平気で相手を殺そうとする。死の恐怖から逃げたければ、死ねばいいのによ」

ただそれで全員自ら死《みずか》んでしまったらジャシン様に捧《ささ》げる贄《にえ》がなくなるので困るが。

「死の恐怖から救うためにも、殺してあげるしかない……」

歩々月は飛段の言葉を自分なりに嚙《か》みしめているようだ。

語りすぎて気づけば夕暮れ。角都はまだ賞金首の家族を探しているのだろうか。

相変《あいか》わらず金にがめついと思っていると、歩々月が「そういえば」と言う。

「あの、汝《なんじ》、隣人を殺戮せよ……ということは、飛段さんは角都さんも殺さなきゃいけなくなるんですか?」

歩々月が言うように、今となっては角都が最も近い存在かもしれない。しかし飛段は「隣人じゃねーな、角都は」と言う。

「隣人じゃない?」

「あの守銭奴《しゆせんど》はオレとは真逆《まぎやく》な存在だぜ? 隣人なんてガラじゃねーな」

それを聞きながら歩々月の体がビクンと震えた。彼は何かを確認するように胸を押さえ頷いている。

「そうですね……飛段さんと……角都さんは違う……ボクと……飴雪みたいに……」

歩々月は目を細め、静かに笑った。彼は崖の方へと視線を向ける。

「あの、角都さんそろそろ戻ってこられると思います」

歩々月が言ったようにたいして間をあけず角都が戻ってきた。しかし手ぶらだ。

「なんだー。いなかったのか？」

「村人全員の顔を確認したが、顔を見た限りでは家族らしき人間は見当たらなかった」

それならば、もうあの村には用はない。飛段は足下《あしもと》に転がる賞金首を見下ろす。村人全員皆殺しもいいが、この死体を早いところ換金所《かんきんじょ》に持っていかなければ腐《くさ》ってしまいそうだ。なにせ森を出るだけで数日かかるのだから。

「それじゃ、さっさと森を抜けよーぜ」

飛段はそう言って立ちあがる。ところが、

「いや……今日はここに野宿する。早朝発《た》つぞ」

角都がまだここに留《とど》まると言いだしたのだ。

「ハァーッ!?　もうこんなとこに用はねーだろ！　腐るぞこれ！」

「………」

死体を指さし主張するが、角都はそれを無視して野営の準備を始める。

「あの、じゃあボクもこの辺で失礼します。明日出立《あしたしゅったつ》されるなら、お見送りに来ますね！　それでは！」

歩々月もまたぺこりと頭を下げて崖の方へと駆けていった。

「……随分お前に心酔してるな」

「ジャシン教の教えがすばらしいってことだぜ」

飛段はこれ見よがしに自慢する。角都はそれもフンと軽く受け流し、視線を歩々月が帰っていった崖に向けたまま言った。

「明日、あのガキと村にいた飴雪を殺して森を離れる」

その言葉に飛段はパチパチと瞬《また》く。

「は？　なんでだ？」

「オレたちのことを知りすぎた」

「そりゃそうだけどもよ。だったら今殺しちまえばよかったんじゃねーの？」

今までここにいた歩々月も、角都が村で出会ったという飴雪も、殺すタイミングはいくらでもあったはずだ。

角都は転がる賞金首を見る。

「一見、村にこいつの家族はいなかった……だが、落ち着きなくうろついている村人はいた」

「落ち着きなくうろつく人間なんてどこにでもいねーか？」

特別視する必要性を感じないのだが。

「あの村は特殊だ。村人たちは誰しも幸福を語り、負の感情を覆《おお》い隠《かく》している」

「なんだそれ。気持ちワリィな」

「その中で、不安を滲《にじ》ませ誰かを探すようにしている人間を見た」

「じゃあ、殺せばいいじゃねーか」

飛段はますますわからないと腕を組んで首を傾《かし》げる。何をもったいつけているのだろうか。

「……一晩様子《ようす》を見る……そうすればこの谷の真実が見えるだろう……」

角都の真意は見えないが、彼が高揚《こうよう》しているのはわかった。金に結びつきそうな予感があるのかもしれない。

金目的に人を殺すなど、ジャシン教の教えに反するが、角都が金のために動けばそこには戦いがつきものだ。

「……暴れられんならそれでいーわ」

4

日が沈み、森は月の光を通さず闇《やみ》に包まれている。

木の枝に座り、幹《みき》を背もたれに休んでいた飛段だったが、ふいに自分を呼ぶ声が聞こえた。

「んん……？　なんだよ……」

目をこすり、大きなあくびをしようとしたところで角都が飛段のいる木に飛び移り、口を押さえてくる。

「むぐッ！」

「見ろ」

それどころではないのだが、角都が示す場所に視線を送って気がついた。複数の明かりがある。誰かいるようだ。耳を澄ませば、彼らの話し声も聞こえてきた。

「こんな時間まで帰ってこないなんて何かあったんじゃ……」

「そんなハッピーじゃないこと口にしたらダメだよ。みんなで探そう」

「そうだよ。それに、この〝桃源郷《とうげんきょう》〟で何があるっていうんだい」

飛段は角都の手を払い、改めて彼らの様子《ようす》を見る。彼らは手にたいまつを持ち何かを探しているようだった。

「恐らくあの賞金首の身内だ」

「あの賞金首の？　間違いねーのか？」

たいまつの明かりが一人一人の顔も照らしている。

「姿形は違うがな」

「はぁ？」

「ここはオレがやる」

角都は〝暁〟のコートに手をかける。脱いだ、その背には四つの面。

「……おい、あれ！　木の根本に誰か倒れて……」

「いやっ、そんな！　あなた――ッ！」

村人たちが切り株の傍《そば》に横たわる死体を見つけたのだ。森に響《ひび》き渡《わた》る悲鳴に隠れ、角都の体からブチブチと肉を突き破るようにして〝心臓〟が飛びだす。無数の黒い繊維《せんい》がとぐろを巻くようにしながら形を作る、角都の滝隠《たきがく》れの禁術、地怨虞《じおんぐ》。

「な、なんだ、このチャクラはッ」

禍々《まがまが》しいチャクラに気づいた村人が木の上にいる飛段たちを見上げるよりも早く、角都が印《いん》を結んだ。

「雷遁《らいとん》・偽暗《ぎあん》‼」

途端、暗い森に閃光《せんこう》が走る。

「……瞬殺かよ」

「お前がいつも時間をかけすぎるだけだ……」

直撃した電流に村人たちは何もできぬまま倒れた。即死だ。

「んー……？」

木から下り、村人たちの顔を見下ろした飛段だったが、ふと気がついた。

「見た目変わってねーか？」

たいまつの明かりで照らされた顔をおぼろげながらもインプットしていたのだが、ここに倒れている者たち全員、姿形が変わったように見える。角都は賞金首に駆け寄っていた女の顔を改めて見た。

「間違いない、この顔……こいつの家族だ」

「おいおい、どういうことだよ。色々おかしくねーか？」

角都は飛段の問いかけを無視して彼女に付き添っていた別の村人たちの顔も見ていく。

「……やはりな……そういうことだったか……。〝偽《いつわ》りの谷〟……。よく言ったものだな」

「おい角都！　ちゃんと説明しろよコラッ！」

しびれを切らしたように叫ぶと、角都がようやくこちらに向き直った。

「飛段、こいつらは全員、常《つね》に自分たちに変化《へんげ》の術をかけて生きていたようだ」

「変化の術？　なんでだよ」

「ここで死んでいる者たちは全員〝賞金首〟だからだ」

「ハァッ？」

賞金首の顔など把握《はあく》していないが、飛段は改めて転がる死体の顔を見る。

「恐らく、命を狙《ねら》われることに怯《おび》え、人目を避けてこんな森深くまでやってきて村を作ったんだろう」

角都は納得した様子だが、飛段はまだわからない。飛段は最初に殺した賞金首を指さす。

「だけど、こいつの顔はわかってたじゃねーか」

この男が現れたとき、飛段はすぐに狙っていた賞金首だとわかったのだ。そうなると、変化の術は使っていなかったということになる。

「あのガキの言葉を思いだせ。こいつを見て何と言った」

あのガキとは歩々月のこと。飛段は彼の言葉を思い返す。

——あの、多分村の人だと思うんですけど……見覚えないんですよね。

——この人も村にいればわかったんでしょうけど……。

「恐らく、この賞金首は村の外に出て変化の術を解いていたんだろう。そこでオレたちにはちあった」

だから角都はこの男が賞金首だとわかり、一方、村での変化していた顔しか知らなかった歩々月はこの男が誰だかわからなかったということなのだろうか。

「なんでそいつは術を解いてたんだ？」

「自分自身を偽り生きることに息苦しさを感じていたんじゃないのか。結局、過去から逃げられなかったということだ」

「ふーん？」

話を聞いてもいまいち事情は飲みこめなかった。はっきりわかっているのは、あの村の住人が賞金首だらけということ。

「つーことはなんだ、あの村は……」

「宝の山だ」

飛段と角都は月光を感じる崖《がけ》の縁《ふち》に出る。ジャシン教のネックレスを口元に添え、ジャシン様への祈りを捧《ささ》げた飛段がニヤリと笑った。

「中には名のある賞金首もいるかもしれない。油断《ゆだん》するな、死ぬぞ」

「ハッ。殺せるもんなら殺してほしーぜ、角都」

その会話を合図にするかのように二人は跳躍《ちょうやく》する。

「よっしゃあああああ！　ジャシン様あああああ、オレやっちゃうからああああ！　皆殺しにしちゃうからあああ！」

絶叫とともに村に着地した飛段を見て、この村を隠す幻術《げんじゅつ》をかけていた忍《しのび》が「何事だ！」と臨戦態勢に入った。

しかし、所詮《しょせん》は戦いに背を向け、平和ボケした忍たち。儀式に入るまでもなく三枚刃の大鎌《おおがま》が相手の首を飛ばす。

「お」

絶命とともに術が解けたのだろう。飛んだ首の顔が変わった。

角都も術を使い村人を殺していく。賞金首の顔を覚えている角都の方が、変化の術が解けるのを見るのは楽しいことだろう。

「飛段、オレはこの村の村長を狙う……重要な地位にいる奴《やつ》ほど高額な賞金首の可能性が高いからな」

「それオレもやりてーんだけどォ！」

「お前にはうってつけの相手がいるだろう」

「ハァ？」

何のことだと疑問符を浮かべた飛段の正面に見知った顔が現れた。

「飛段さん……」

それは、ジャシン教に入信したいと言っていた歩々月だ。騒ぎを聞きつけ駆けつけたのだろう。すぐ傍には飛段は初見の飴雪がいる。

真《ま》っ直《す》ぐ自分を見ている歩々月は、突然の襲来者に戸惑《とまど》い逃げまどう村人の中で異質に見えた。

「……てめーはちゃんと儀式してやるから待ってな！」

飛段は大鎌を握り直し一気に加速する。

「まずはこっちだあああ！」

刃《やいば》が狙うのは歩々月のわずか後ろで佇《たたず》んでいた飴雪。刃は飴雪の頭を貫《つらぬ》いた。

「………!?」

普通であれば頭蓋骨《ずがいこつ》が割れ、血や脳みそが飛びだしてくるところ。しかし、手応《てごた》えがない。まるで軟《やわ》らかな土を突き刺したかのような感覚だ。

「……っ、分身《ぶんしん》の術か！」

飴雪の体が土塊《つちくれ》に変わり、泥のように崩れる。

「土遁《どとん》系かぁ？」

土遁に精通している岩隠《いわがく》れの忍たちが使っているのは、岩分身の術だったように思う。

ただ、飴雪の分身は岩分身にしては手応えがなく、砂分身というには硬い。

「この手の分析は得意じゃねーんだよなぁ……。……ん？」

そう思いながら歩々月を見ると、彼の姿形は今潰《つぶ》した分身、飴雪のものに変わっていた。

「なんだてめーは」

「…………」

歩々月だったはずの少年はうつろな目で己《おのれ》の両手を見下ろす。その瞳《ひとみ》にじわじわと生気が宿り、チャクラが溢《あふ》れだすのが感じられた。

「……おいおいマジかよ」

今まで感じたことのない異質なチャクラの気配がする。

「私は……飴雪……」

歩々月だった少年は、己を飴雪だと語る。

「あの日から……歩々月として生きてきた……だって私は空《から》っぽだから……」

「ハァ?」

「飛段さん……私は今まで、友人、歩々月に変化《へんげ》してこの村で生きていました……傍《かたわ》らに、自分の分身を携《たずさ》えて……」

ならば、目を輝かせジャシン教の話を聞いていたのが、この飴雪だというのか。

「自分でありながら、自分ではない偽りの存在……それが……分身〝飴雪〟……それをあなたは殺してくれた……。だから私は今、本当の飴雪になれた……」

そこで飴雪が拳《こぶし》を握る。

「あなたが私を解放してくれたああぁぁぁぁぁああああああッ!!」

飴雪はバン、と両手を合わせ、印を結ぶ。殺気を隠すことなく飛段にぶつけてくる。

「おいおい、いい感じにヤバイじゃねーかよおおォオッ!」

飛段は鎌を振りあげ飴雪を狙った。それを防ぐように飴雪は両手を地につけ叫ぶ。

「……泥遁《でいとん》・泥水壁《でいすいへき》!!」

「〝泥遁〟!?」

初めて聞いた遁術。見れば飴雪が触れた部分から地盤が緩《ゆる》み泥に変わった。それが壁のように噴《ふ》きあがり、泥水となって飛段に襲いかかる。

「ゲェ！　汚《きた》ねーなッ！」

真《ま》っ向《こう》から泥水壁を喰《く》らった飛段は泥まみれだ。しかもこの泥、体にまとわりつきどんどん固まっていく。

「私はようやく解放されたんです！　だから、だから……誰よりも尊敬するアナタをッ、私の隣人であるアナタを殺しますッ！　泥遁・泥底無《でいていむ》!!」

動きが鈍《にぶ》った飛段に飴雪が更《さら》に追撃を仕掛ける。

「なっ!?」

体がズン、と沈む感覚を覚え飛段が足下《あしもと》を見ると、立っていた場所が泥に変わり、底なし沼へと変貌《へんぼう》していた。その泥から無数の手が伸びだし、飛段の体を摑《つか》んで沼の底に引きずりこもうとする。

「チィッ！」

飛段は衣《ころも》の袖《そで》からロープを伸ばし、すぐ近くにあった家屋の突起に巻きつけた。そのまま、力業《ちからわざ》で体を引き抜く。

「見たことねー遁術使うじゃねぇかよ、てめー！」

飛びあがった屋根から見下ろせば沼はどんどん広がっていた。まるで黄泉《よみ》への入り口のようだ。

角都であればすぐにこの状況を分析するのだろうが、飛段はそういったことが不得手《ふえて》だ。しかし、これだけはわかる。

「血継限界《けつけいげんかい》か……！」

先代より受《う》け継《つ》がれし血を持たずして手に入れることはできない、遺伝による才能、血継限界。

類《たぐ》い希《まれ》なる才能は羨望《せんぼう》と嫌悪《けんお》という両極端の感情を向けられる。血継限界を持って生まれたというだけで、人とは異《こと》なる人生を送る者も多い。

同じ〝暁〟である木ノ葉《こ　は》のうちはイタチの写輪眼《しゃりんがん》も血継限界だが、彼は同胞《どうほう》うちは一族を皆殺しにしたと聞いた。

「そう……私は水遁《すいとん》と土遁《どとん》の力を使い、泥遁を生みだす……。血継限界といえば聞こえはいいが、最強の忍と謳《うた》われる千手柱間《せんじゅハシラマ》は同じ水遁と土遁で、類い希なる力、木遁《もくとん》を練《ね》りだしていた……」

誰も真似《まね》できない至高の遁術と名高い木遁。しかし、飴雪が使うのは泥遁。

「我《わ》が一族は地を這《は》い蹲《うずくま》る穢《けが》れた泥……周囲の者たちはみんな私の一族を嘲《あざけ》り笑った……」

飴雪は泥で汚れた己の手を見下ろす。

「そんな私に優しくしてくれたのは……歩々月だけだったのに……！」

飴雪のチャクラが、再びぶわりとふくれあがった。

「泥遁・泥人形《どろにんぎよう》ッ！」

泥沼から人型の泥人形が無数に現れる。泥人形は屋根の上にいる飛段を狙って壁を這い登り、両手を大きく広げるようにして近づいた。

「チッ」

泥人形に片っ端から大鎌で斬《き》りつけたが、真っ二つになった泥人形は、それぞれすぐに手が生《は》え足が生え、止《とど》まることなく飛段の体に抱きつく。

「うお、なんだこいつら……ッ」

泥人形は飛段に触れると、まるで体をコーティングするようにへばりつき、口や鼻から強引《ごういん》に体の中へ侵入してきた。

「ガハッ、ゲボッ……！」

不味《まず》い泥が口内を塞《ふさ》ぎ、更には気道に入りこもうとする。このままでは呼吸できない。体内を全《すべ》て泥で埋められてしまう。

「つの……ッ！」

飛段は尖《とが》った一本槍《いっぽんやり》を取り出し、自《みずか》らの肺に突き刺した。

「……ゲボォ！」

肺からこみあげた血で、気道をふさごうとしていた泥を無理矢理押しだし、吐き捨てる。

「……チクショー！　むちゃくちゃ苦しいじゃねーか、てめェッ！　痛みと違う辛《つら》さがあんぞ！」

そう言っている間にも泥人形は次々と沼から現われ、飛段を狙ってやってくる。

飛段は屋根を蹴《け》ると、肺から抜いた槍で餡雪を狙った。

「そこだ！」

新《あら》たな印を結ぼうとしていた餡雪だったが、結び終えるよりも早く槍の先端が彼の頬《ほお》に届く。皮膚を裂き、血が飛び散った。

「……っ」

搾取《さくしゅ》した血液。飛段はそれを舐《な》め取《と》る。即座に体が変色し浮かびあがる紋様《もんよう》。飛段は肺からこみあげる血を地面に吐きつけジャシン教のマークを描く。

「ゲハハハハァッ!!　準備は全て整《ととの》……」

これで終わりだ。まさにそう思った瞬間、餡雪が術を放つ。

「……泥遁・泥底無」

何をしたところで全て遅いはずだった。

「……なッ!!　陣が……ッ!?」

ところが、飛段が地面に描いたジャシン教のマークが歪《ゆが》み崩れ泥に変わってしまったのだ。沼から離れ、再び血で描こうとするも、これもまたすぐに飴雪の泥底無に狙われ泥に溶けていく。

「ハァ――ッ!?　マジかよ!!」

ここにきて飛段は気づいた。

飛段にとってこの泥遁は相性《あいしょう》が最悪であると。

飴雪は両手を伸ばしゆっくりと口角《こうかく》をあげる。

「もっと見せてください、ジャシン様に祈りを捧げる姿を……」

「……ッ!」

飛段は上空から殺気を感じ反射的に避ける。間髪《かんはつ》いれずに飛段が立っていた場所に泥人形が落ちてきた。

ここは崖に穴を掘って作った村。天井も壁も岩と土でできている。その天井も泥と化し始め、顔を出した泥人形が引力に引きずられ落ちてくる。

「泥ヤローがッ!」

それでも真っ向から勝負を挑《いど》もうとしたところで「飛段」と呼ぶ声が聞こえる。見れば屋根の上、見知らぬ男を背負った角都がいた。

「角都！　手ェ貸せッ！」

「村長は獲《と》ったが他にも大物がいる可能性がある……全員殺してからだ。思っていたよりも人数が多い。時間がかかる」

肩に背負っているのが村長なのだろう。

「んなもん、てめーの術で村ごと破壊しちまえばいいじゃねーかよッ！」

「お前はバカか。こいつらは全員変化の術を使っているんだ、顔が確認できる程度の死体損壊《そんかい》にしておかなければ判別がつかないだろう…」

「そりゃそーか。……ってホントてめーは金のことばっかだな！」

文句を言えば、角都が何を思ったのかトンッと飛び、飛段のすぐ近くに着地する。

「ここで戦っても意味がない、森に戻れ。死ぬぞ」

助けてくれるのかと思いきや、それだけ言って角都は他の村人を狙いに行く。

飛段はハッと笑って、遠のく背中に叫んだ。

「オレにそれを言うのかよ、角都！」

飛段は泥人形を飛び越え、村の入り口へと走り、対岸の森へと跳躍した。

飴雪も飛段を追うように森へと着地し、再び泥底無を仕掛ける。木を支えていた土が泥へと変わり、木の根が浮きあがり、次々倒れていく。

「逃がしませんよ、飛段さん……！　土は全て泥に変わる……地上にいる限り、私から逃げることはできないのです……！」

沼を跳《と》び越《こ》え、倒木を避け、飛段は駆けた。確かに窮地《きゆうち》。それでも飛段の目はあるものを捉《とら》えている。

飛段は後方を振り返り餡雪とある程度距離が離れていることを確認すると、槍で己の手を突き刺した。傷口をえぐるようにぐるりと大きく回し引き抜けば、血が溢れだす。

「飛段さん、もう終わりにしましょうかッ！」

餡雪は両手を合わせ印を結ぼうとした。

「……ッ！」

そこで、餡雪の足に激痛が走る。

膝《ひざ》が折れ、泥混じりの土の上に転倒した餡雪はハッと顔を上げた。

「準備は整った!!」

己の腿《もも》に槍を突き刺した飛段の足下にはジャシン教のマーク。そのジャシン教のマークが描かれたのは——大きな切り株。

腰を休め、目印代わりにもなっていたこの切り株に飛段は血で紋様を描いたのだ。

「まわりくどいこと言いやがるぜ角都」

――ここで戦っても意味がない、森に戻れ。

それがヒント。彼は切り株にマークを描けと暗に示したのだ。おかげで地の利があると油断した餡雪に一杯食わせることができた。飛段は槍を引き抜き、己の左胸に先端を添える。飛段の勝ちだ。

「さすがですね、飛段さん……」

餡雪は飛段を見つめ穏《おだ》やかに笑う。

「これからてめーは死ぬほど痛《いて》ぇ思いをするぜ！」

「ええ……それこそ私が望んでいたものです……」

餡雪は足の痛みを堪《こら》えながら起きあがり、姿勢正しく座った。

「周囲に蔑《さげす》まれていた私を救ってくれたのは、歩々月でした……。ですがある日、私が住んでいた村に人身売買を生業《なりわい》とする忍集団がやってきて村の女子供を連れ去った……その中に、歩々月もいた……」

餡雪はその日のことを思い出すように遠くを見つめる。

「私は歩々月を助けるために泥遁を使った……敵は、ほぼ壊滅《かいめつ》……それがきっかけで、賞金首になりました……でも私の首を獲ろうとしたのはそいつらだけじゃなかった」

達観した瞳《ひとみ》で、飴雪は言う。

「泥遁の力を目《ま》の当《あ》たりにし、恐れた村の人たちは、私を殺そうとした……」

よくある話だ。この世界にはびこる理不尽《りふじん》の一つ。弱者は弱さを楯《たて》に己の命を脅《おびや》かす強者を狩ろうとする。

「それに気づいた歩々月が、この〝桃源郷〟の話を聞きつけ逃げようと言いました……過去は全て捨てて忘れて、幸せに暮らそうと……だけど、逃げる約束をした夜、勘《かん》づいた村人に歩々月は殺された……」

飴雪の目から涙が零《こぼ》れ落ちる。

「私も一緒に死にたかった、だけど歩々月が前を向いて生きろと言うから一人〝桃源郷〟にやってきた……でも……私のために死んだ歩々月を忘れられるはずがない……こんな〝偽りの谷〟で幸せになれるはずがない……」

涙を流しながらも飴雪が笑う。

「私に光を教えてくれた歩々月は私の所為《せい》で死んでしまったけれど……私に光を見せてくれた飛段さんに殺してもらえる……ジャシン様の贄《にえ》になれる……」

飴雪はそれを心から喜んでいる。飛段にもそれがわかった。

「飛段さん、一つだけ、お願い事をしてもいいですか。ジャシン様に捧げたいものがあるんです」

「捧げたいものォ？」

「ええ……」

飴雪は答えを聞く前に目を閉じ、印を結びだした。

「汝《なんじ》、隣人を殺戮《さつりく》せよ……」

今まで見たものとは段違いに複雑な印を淀《よど》みなく結んでいく。チャクラが彼の体全体を覆う。

「真っ先に狙うべきはこの隣人だったッ!!　泥遁・地盤泥化《じばんでいか》!!」

飴雪は突如《とつじょ》立ちあがり、森の先、村の方角へと手を伸ばす。何をするか察した飛段が、木の上に駆け登った。そこから、彼の村〝桃源郷〟が見える。

「こいつは……」

その桃源郷がある崖が、一気に泥化していった。村を支えていた土塊が、支える力など何一つない泥へと変わり村が一気に崩れ落ちる。そして、谷底の深い川に飲みこまれた。

「おいおい、角都は大丈夫かァ!?」

思わず心配したが、角都なら大丈夫だろう。飛段は息を吐くように笑うと木から飛び降りた。

「やるじゃねぇかよッ!!」

右手に構《かま》えたのはいつもの槍。切り株に着地すると同時に飛段はそれで勢いよく心臓を貫く。

「ジャシン様がァ……お喜びになってるぜ……ッ!」

死の痛みに恍惚《こうこつ》の表情を浮かべながら飛段は叫ぶ。

「……よかった」

それを聞いて、大量の血を吐きだしながらも餡雪は嬉《うれ》しそうに笑った。


「どうやら殺したようだな……」

あわや巻き添えを食らいかけた角都だったが、無事に村を脱出した。

殺した中でも高額な賞金首たちもしっかり連れだしている。

ただ、この村で最も高い賞金首は――餡雪だった。

彼は村を襲った忍集団だけではなく、歩々月を殺した村人たちも全員殺している。

闇《やみ》の賞金首であり、手配帳《ビンゴ・ブック》に載《の》っている指名手配犯でもあるのだ。

「影分身とはいえ、村に自分本来の姿を置いていたということは、どこかで見つかりたかったのかもしれんがな……」

角都は切り株の上に横たわり祈りを捧げる飛段と、死んで転がる飴雪を見る。

道案内をしていた飴雪は虚無の表情を浮かべていたが、今は満足げだ。

村を襲った忍集団も、自分が生まれ育った村の人間も、結果的に自分の親友も殺してしまった飴雪にとって、殺戮を肯定《こうてい》してくれるジャシン教の存在は救いになったのかもしれない。

「しかし、その祈り、いつ終わるんだ……さっさと換金所《かんきんじょ》に行きたいのだが」

いつものぼやきに飛段は祈りの最中であるにもかかわらず珍しく楽しげに笑う。

どうしたのだと首を傾《かし》げる角都に飛段は言った。

「今日は〝殉教者《じゅんきょうしゃ》〟が出たからいつもより長くなるぜ」

浮かびあがる白

1

永久の美、一瞬の美、それぞれが語る最高の美しさ。

そのためには自《みずか》らの体までも差しだす。

それが――芸術コンビ。


「質の高い粘土《ねんど》が欲しいんだよな……うん」

あちこちからもうもうと煙が立つ〝平原〟。

ほんの数刻前まで町があったこの場所で、独《ひと》り言《ごと》にしては随分《ずいぶん》大きな声をあげる。

金の髪を高い位置でくくり、腰にぶら下げたカバンを碧《あお》い瞳《ひとみ》で見つめるのは、この町を破壊した本人、デイダラだった。

元は岩隠《いわがく》れの忍《しのび》で爆破部隊に属していたが、里を抜け、反国家分子に加担し爆破テロを巻き起こしていたところを〝暁《あかつき》〟に目をつけられ、今ではその一員だ。

今日も組織に命じられ町を一つ破壊した。こういった大規模な破壊工作はデイダラの得意とするところである。

「…………」

デイダラの言葉を無視するように爆破から生き残った残党を殺しつくしたのが、デイダラとコンビを組んでいるサソリだ。

体を深くかがめ、体を引きずるように動いているのはサソリの十八番《オハコ》、傀儡《くぐつ》・ヒルコ。元砂隠《すながく》れ、傀儡部隊の天才造形師と謳《うた》われたサソリの本体は、じつはこのヒルコの中にある。本体の容姿はサソリが里を抜けたときのまま、少年のような面立《おもだ》ちだ。

「なぁ、サソリの旦那《だんな》。どっかにオイラのアートを表現しやすい粘土はねーかな」

「ああ？　粘土？」

今度は反応したサソリにデイダラは両手を開いてみせた。デイダラの手には舌なめずりする口がそれぞれついている。この口に粘土を喰《く》わせて起爆粘土を作り、その起爆粘土をアーティスティックに造形して全《すべ》てを破壊する爆遁《ばくとん》に変えるのだ。爆発は芸術。デイダラは常《つね》に新しい芸術を求めている。

「感性を刺激するためにも基礎から見直すのが大事なんスよ……うん」

「それで、粘土を調達してーってのか」

「オイラのアートをもっとビンビンに感じてくれる粘土があれば、オイラの芸術に磨《みが》きがかかるはずだ……うん」

両手の口に粘土を飲みこませチャクラを練《ね》りこむ際、素早くチャクラを吸収する粘土もあれば、なかなかチャクラと混じりあわない粘土もある。

他にも、爆発の力に差違が現れるなど、粘土によって様々な変化があった。

今は、最も自分に合う粘土を使っているのだが、慣れは感性を鈍化させていく。ちょうど、今回の任務で粘土が減った。ここで心機一転、新しい粘土を見つけて芸術に磨きをかけようという魂胆《こんたん》だ。

「粘土、か」

一方、サソリも傀儡造形に粘土を使うことがある。

「そうだな……風《かぜ》の国の中でも、川《かわ》の国との国境寄りに〝陶《とう》の里〟ってのがある」

「陶の里？」

「そこは忍術とは無縁な陶芸の里だ。オレも何度か足を運んだことがあるが、あそこなら質のいい粘土があるかもしれねーぞ」

陶芸と言えばこれもまた芸術だ。デイダラのアート心をくすぐる出会いもあるかもしれない。そう思うとじっとしていられなくなる。善は急げ。デイダラはカバンに手をつっこんだ。

「よし」

粘土でできあがったのは愛らしいフォルムの鳥。それをポンと投げて印《いん》を結べば、たちまち人が乗れるサイズへと変わる。

「じゃあ行こうぜ、サソリの旦那」

鳥の背に飛び乗り振り返ると、サソリは「ああ?」と不機嫌《ふきげん》そうに言った。

「組織への報告が先だろ。なんで今すぐ行かなきゃなんねーんだよ」

「デカイ仕事をすませたあとは、リフレッシュが必要なんスよ、うん」

デイダラの言葉に「なにがリフレッシュだ」とサソリは呆《あき》れる。しかし、デイダラの言いだしたら聞かない性格を熟知《じゅくち》しているサソリは「仕方ねぇな」とぼやきつつ鳥の背に乗った。

「よし、陶の里へ出発だぜ! うん!」

羽を広げて勢いよく飛びあがる鳥。デイダラが太陽の方角を指させば、鳥もそちらに向かって飛び始めた。

「……そっちじゃねぇぞ」

冷静にサソリがつっこんだ。

2

「……へぇー、意外と賑《にぎ》わってんだな、うん！」

破壊した町を出て約四日。砂隠《すながく》れの里との接触は極力避けた方がよいというサソリの言葉に従い、深い森が続く川の国の上空を飛んで、ようやく風の国へと入った。

たどり着いた陶の里は小山に囲まれた盆地にある。砂隠れの里を筆頭に砂漠のイメージが強い風の国だが、ここは緑が多くて水も豊かだ。

規模は村というより町といったところ。勝手に人の少ない辺境地を想像していたデイダラには賑やかに見えた。

そんな町の中には多くの煙突があり、至るところからもうもうと煙が上がっている。

「サソリの旦那《だんな》、あれって何だ？」

「陶器を焼く窯《かま》の煙だ。ここでは日夜、窯に火が焚《た》かれてる」

「なるほどなー……。んん？　旦那、じゃああれは？」

今度は太陽に反射するようにキラキラと光る何かが街中《まちじゅう》にあることに気がついた。

「あれは陶製のタイルだ。ここの里の奴《やつ》らは壁や歩道にも陶器を使ってんだよ」

「へー」

常時煙を上げる窯に、街中を装飾する陶器のタイル。

町の中心にはひときわ輝く寺院のような建物もあり、まさに芸術の里だ。

「オイラのアートで破壊したら美しく散りそうだな……うん」

「おい、何しに来たか忘れんなよ」

うんざりした様子《ようす》で忠告するサソリの言葉を聞きながら、人目を避けるように町から少し離れた雑木林に着地する。

「……うん？　どうしたんだ、旦那」

笠《かさ》を被《かぶ》り、準備を整え町へ向かおうとしたところで、サソリが町とは違う方角を見ていることに気がついた。

「ここにも人が住んでるみてーだな」

見れば、雑木林の先からもくもくと上がる煙があった。恐らく陶器を焼く窯があるのだろう。

町の喧噪《けんそう》を嫌う年寄りでもいるのだろうかと思ったところで、突然、ガシャン！　と何かがけたたましく割れる音が響《ひび》いた。

「……んおお？」

音は一回だけではなく、ガシャン、ガシャンと続いている。サソリと顔を見合わせたデイダラだったが、その破壊音にはくすぐられるものがあった。

「……サソリの旦那、ちょっと様子見てくるぜ、うん！」

デイダラは返事を待たず駆けていく。

デイダラが着陸した雑木林は、小山の中腹にあった。急勾配《きゅうこうばい》を登っていくと、坂に沿《そ》うようにしていくつも並ぶ窯を見つけた。

「あれか……うん」

そんな窯のすぐ傍《そば》に一人の女が立っている。年は二十代半《なか》ばだろう。無造作《むぞうさ》に束《たば》ねた髪はぼさぼさで、体中すすにまみれている。正直汚《きたな》い。その女が手に白いツボを持っていた。

彼女はそのツボをグルグルと回し、丹念《たんねん》に見つめてから息を吐く。そして、キッと顔を上げた。

「私の求める究極の白はこれじゃな――いッ！」

「……!!」

女はそう叫ぶと両手を大きく振り上げ、ツボを地面に思いきり叩《たた》きつけた。ガシャンと大きな音がする。見れば彼女の周囲には、破壊された陶器が無数に散らばっていた。あの破壊音の正体はこれだったようだ。

「……お前も芸術は爆発だと思うのか！　うん！」

その光景を見て、デイダラは思わず飛びだした。

破壊に美を見出《みいだ》すデイダラは、彼女も自分に近い感性を持っているのではないかと思ったからだ。

「……!?　なんだ、お前は」

突然姿を見せたデイダラを見て、当然、女は困惑《こんわく》した。

「オイラも芸術を追求するもんだ！　お前も作品を破壊することで一瞬の美を感じてんだろ、うん！」

「破壊が美……？　そんなわけないだろ」

女はすぐに否定した。

「壊してたのは……コレが失敗作だからだ」

「……だったら全部失敗したってことか？」

そう言いながら、待っているのもしゃくだったのか、雑木林からサソリが姿を見せる。

その言葉に女は唇《くちびる》をゆるく噛《か》んだ。

「……そういうことだ。アンタたち、余所《よそ》の人間だな。陶器の買いつけなら里に行けばいい。〝余所の人間好み〟のものならいくらでもある」

女はそう言って、陶器の破片を踏みつけ窯の裏手にある作業場に向かう。愛想《あいそ》のない女だ。

「その前にオイラのアートも見てみろよ、うん！」

否定されたものの、勝手にシンパシーを感じたデイダラは、女を呼び止め起爆粘土《ねんど》で小鳥を作った。

「アート……？」

「しっかり見てろよ、うん！」

小鳥を相手の眼前まで近づけて、印《いん》を結ぶ。

――喝《かつ》ッ！

「……っ！」

瞬《まばた》きをする間《ま》も与えず爆破させたので、威力は小さいものの女は驚いた様子で耳を押さえた。

「どうだ！　アートを感じただろ、うん！」

自慢《じまん》げに語るデイダラを見て、女は言う。

「……随分《ずいぶん》チャチな作りだな」

「なんだとォ！　オイラの芸術をバカにすんのか！」

端的な言葉に瞬時にキレたデイダラ。女は渋《しぶ》い顔をしつつ「バカにしているわけではない」と答える。

「アートという言葉を使う奴は、解釈が難しい複雑怪奇な作品を作ることが多いから、そういう作品が出てくると思ったんだ。予想に反してシンプルなものが出てきて、つい、チャチだと言ってしまった。悪いな」

謝《あやま》っているのか貶《けな》しているのかわかりにくいが、一応、反省しているようだ。

「私はこういうシンプルな作品は好きだ。親しみやすさも感じた。爆破は理解しがたいがそういう芸術もあるのだろう」

相手は淡々と感想を述べる。デイダラの作品を全《すべ》て良しと思っているわけではなさそうだが、理解は示しているらしい。

「私は漢入《かんにゅう》。究極の白……〝花咲き〟の技術を蘇《よみがえ》らせるために生きている。花が咲かなければ全て失敗」

散らばる陶片を改めて見下ろす彼女、漢入の横顔が悔《くや》しさに歪《ゆが》む。

「……アンタが芸術を追い求める人間なら、陶の里の品《しな》を気に入るかどうかわからないが、ひとまず町に行けばいい。私は土を練《ね》る。ではな」

そして漢入は作業場へと消えていった。

「〝究極の白〟に〝花咲き〟技術……って何なんだ、うん？」

デイダラは転がる陶片を一つ拾いあげ目線の高さに持ちあげる。表面には光沢《こうたく》を持たせるための釉薬《ゆうやく》が塗られており、色は美しい白だった。これ以上に白くという意味なのだろうか。

「……んー、まぁ、いいか！　旦那、いつまでもこんなところにいねぇで町に行こうぜ！　アートがオイラを呼んでるんだよ、うん！」

「てめーが待たせてたんだろが、殺すぞ」

漢入の言葉に引っかかりを感じながらもデイダラは雑木林を抜け、陶の里に向かった。

3

「……へぇ、ホントに町中陶器だらけだな、うん！」

色とりどりの陶製タイルで舗装された道を進みながらデイダラは表情明るく周囲を見渡す。町には陶芸店が多く建ち並び、店の外壁にも陶製のタイルが貼《は》りつけられていた。そんな外壁のタイルを大きな荷物を背負った貿易商たちが熱心に見ている。

「なぁ、旦那《だんな》。なんであいつらは店の中に入んねぇんだ？　うん」

どうせなら、中に入って品を見ればいいのに。

「……こんだけ店が多けりゃ、いちいち中に入って確認するのも手間がかかる。その手間を省《はぶ》くために、こうやってタイルを貼りつけてんだよ」

「てことは……どういうことなんだ、うん？」

飲みこみが悪いデイダラにサソリが更《さら》に説明する。

「これは店の奴《やつ》らが抱《かか》えている窯元《かまもと》……陶芸師が作ったタイルを貼りつけてんだ。サンプルって奴だな」

言われてよくよく見れば、店によってタイルの質もデザインも様々だ。

「外壁を見りゃ取《と》り扱《あつか》ってる品も大体想像できるってことか、うん」

「目利《めき》きになれば尚更《なおさら》な。その上、多くの陶芸師を抱えている店は、タイルも多種多様になってくる」

デイダラの正面にある店の外壁のタイルはまばらだ。対して、道の向かい側にある店は大きく、外壁にびっしりタイルが貼りつけられている。貿易商たちもそちらの店に流れていた。

「便利なシステムだけど、権力の象徴っぽいところもあるんだな……うん」

「ハッ、権力の象徴か……。あながち間違ってねーかもな。現に……見てみろ」

サソリは町の中央へと視線を向ける。そこには巨大な建築物があった。

「寺っぽいな……うん」

「そう見えるだろうな。だけどあれは寺じゃねぇ……ここの里長《さとおさ》の屋敷だ」

陶製タイルの道を真《ま》っ直《す》ぐ進んでいくと、その屋敷に行き着く。どうやらこの町は、この屋敷を中心に作られているらしい。

「でけーぜ……うん」

屋敷の前に立つと、その大きさに圧倒された。外壁にはサソリが言っていたように何千何万というタイルが貼りつけられている。

「通称、陶神《とうじん》屋敷だ。陶の里は代々この陶神家が治《おさ》めている」

タイルは全《すべ》て絢爛《けんらん》豪華。一枚一枚、芸術性が高い。どうやら今もタイルを貼りつける工事をしているらしく敷地内では多くのタイルが運搬《うんぱん》されていた。

——しかしだ。

「……旦那はこのアート、どう思うんスか?」

サソリの本体は傀儡《くぐつ》の中にある。その本体がデイダラの問いに笑ったような気がした。

「悪趣味だな」

デイダラが「そうなんだよ、うん!」と頷《うなず》く。

この陶神屋敷に限ったことではない。

里中に陶製タイルを敷き詰め、一見して芸術を感じることができる町作りには感心するのだが、それを形作る作品の一つ一つが無駄に豪華で自己主張が激しく、鼻につく。

この陶神屋敷を見てその思いを強くしていたのだが、サソリが言った「悪趣味」という言葉は的《まと》を射《い》ていて、デイダラの気持ちをすっきりさせた。

「前に来たときはここまで悪趣味じゃなかったんだがな」

「うん? 前は違ったのか?」

「ああ。そのときは、町全体がシンプルな白で統一されていた」

サソリの言葉を聞いて、漢入が話していた究極の白という言葉を思いだす。

「ただ、前に来たときよりも買いつけに来ている貿易商は多いし、町は賑《にぎ》わってる。町自体は豊かになったようだ」

「ま、芸術は流動的だからな……うん」

サソリが見たシンプルな白い町も見てみたかったが、過去の作品を振り返るのも進歩がない。

「旦那、さっさと粘土《ねんど》を探しに行こーぜ、うん!」

もう町はいい。芸術のために粘土を探さなければ。

4

「……これで中に入れるな」

〝暁〟メンバーのほぼ全員に言えることだが、デイダラとサソリもその例にもれず短気だ。潜入捜査は向いておらず、里の陶芸に使われている粘土《ねんど》が里の周囲を囲む小山の一つから採掘されていることを調べあげるまでに、何人か殺してしまった。

「こういうチマチマしたことを自分でやんのはめんどくせぇ」

しかも、採掘所の粘土は気安く採《と》れるものではないらしく、小山を削ってできた入り口には見張りが数名。

その見張りも、サソリの傀儡《くぐつ》・ヒルコの尾に突き刺され転がっている。誰にも気づかれず穏便《おんびん》にというのは二人にとって難しい。

「サソリの旦那《だんな》は部下を使うことも多いよな……うん」

死体を踏みつけ中に入れば、洞窟《どうくつ》のような道が続いていた。点々と灯《とも》るたいまつの明かりを頼りに奥へと進んでいく。

「使えるコマは多い方がいいからな」

「そういえば旦那の傀儡も仕込めるもんはなんでもかんでも仕込んでるもんな……うん」

「傀儡としての機能を最大限に発揮するために計算して仕込んでんだ。なんでもかんでもじゃねぇ」

ヒルコの尾がゆらりと揺れたのを見てデイダラは肩をすくめる。

「おっと、別に旦那を怒らせたかった訳《わけ》じゃねーぜ、うん」

怒るような気はしていたが。

「オイラは洗煉《せんれん》されたアートから生みだされる圧倒的力量、全《すべ》てを破壊する爆発に魅力を感じてるわけだから、オイラの周《まわ》りに部下がごちゃごちゃいたら、アートの邪魔《じゃま》になんだろ……うん」

元々、自由に芸術活動をしたい人間なのだ。どこにも属さず、何にも媚《こ》びず、自分のアートを表現する。そして、それを世界の人々に認めさせる——

だがそこで、ふいに頭を過《よぎ》るものがあった。

「……ッ」

デイダラは思わず目を押さえる。

デイダラの脳裏《のうり》に鮮明に焼きつけられたもの。

両脇《りようわき》に勇ましい仏像を従え、後光に照らされながら、その光よりも鮮烈な瞳《ひとみ》――うちはイタチの写輪眼《しやりんがん》。

どこまでも冷たく、全能を思わせるかのような悟《さと》りを含んだ瞳を見て、デイダラは思ってしまった。これは芸術だと。

自分の芸術は完璧《かんぺき》だ、そう思いながらあの瞳を思いだすたびにデイダラの心が波立つ。自分の芸術を完成させるためにも、イタチに打ち勝つことが必要だ。だからこそ、こうやって今も自分に満足することなく、芸術を突き詰めているのだ。粘土探しもその一つ。

「……そういや旦那。大蛇丸《オロチまる》のところにやった旦那の部下はどうしてんだ」

「ああ？　急にどうしたんだ。あとお前もわかってんだろ。術をかけたあとどうなるかは俺にもわからん」

サソリは自分の部下にスパイ行為をさせる際、潜脳操砂《せんのうそうさ》の術を使うことがある。これは、極小《ごくしよう》サイズの針を部下の脳内、記憶中枢《ちゆうすう》に刺すことにより記憶を封じる術だ。

スパイ捜査は神経消耗《しようもう》戦。それが長期ともなれば疲弊《ひへい》は激しく、逆にこちらの情報が漏洩《ろうえい》してしまうことも少なくない。

他人を、更《さら》に自分を偽《いつわ》りながら生きることは、想像以上に過酷なことなのだ。だからこそ記憶を封印することで任務を遂行《すいこう》しやすくする、それが潜脳操砂の術。

そして、その術をかけたスパイが、元〝暁〟である大蛇丸の下《もと》にいる。サソリの部下の中でもとりわけ優秀な人間が送りこまれていたはずだ。

サソリは元々大蛇丸と組んでおり、彼を強く憎んでいる。

そして、大蛇丸はデイダラにとっても、自由なアート活動を奪《うば》った憎むべき相手である。なにせ、大蛇丸が〝暁〟を抜けたことが原因で、新しいメンバーを求めた〝暁〟に目をつけられたのだから。

大蛇丸は周囲に疎《うと》まれながらも、その能力は高く評価されている。誰もが無視できない存在だったことは間違いない。

その大蛇丸がうちはイタチに執心《しゅうしん》していたそうだ。

どいつもこいつもイタチ、イタチ、イタチ。何故《なぜ》あの男の瞳《アート》ばかり認められるのだ。

「大蛇丸はオイラがぶっ殺してやる……うん」

サソリから諌《いさ》める言葉は返ってこない。それこそ、手駒《てごま》は多い方がいいというところなのだろう。大蛇丸を殺すための手駒は。

「んー、ここか、うん」

ようやくたどり着いた採掘所。比較的広い空洞《くうどう》があり、粘土を採るための道具なども置かれていた。

デイダラは粘土を取ると手の口に喰《く》わせ、チャクラを練《ね》りこむ。

「うんうん、なるほど……うん、うん」

吐き出された粘土をぎゅっと握りしめて作ったのは蜘蛛《くも》型だ。それを粘土層の壁に放り投げる。印《いん》を結び「──喝《かつ》！」と唱《とな》えれば蜘蛛型は小規模な爆発を起こした。張りついていた粘土層に穴が空《あ》き、粘土が飛び散る。

「どうだ？」

サソリの言葉にデイダラは首を捻《ひね》って振り返った。

「オイラのアートが伝わりきってない感じがするぜ……うん」

悪くはないのだが、今までのものを圧倒的に超えるパワーは感じられない。これならわざわざ持って帰るほどでもなかった。

「悪《わ》りーな、旦那。せっかく教えてもらったのに……うん」

デイダラは陶の里に案内してくれたサソリに謝《あやま》る。サソリはそれには答えず、散らばった粘土を見下ろした。

5

採掘所の見張りも含めて、既《すで》に何人か殺している。この規模の町であれば、一日とたたず騒ぎになるだろう。

用も済《す》んだのだからさっさと去ろうと思っていたデイダラだったが、サソリが「確認したいことがある」と言いだしたため、再び町へ戻っていく。

「どこ行くんだ、旦那《だんな》」

「………」

カラフルな陶製タイルの道を進み、近づいてきたのは町の中心、陶神屋敷。

サソリの言葉を借りて、心の中で「悪趣味だな……うん」と思っていると、なにやら屋敷の方が騒がしいことに気がつく。

「なんだぁ?」

よくよく見ると、何人かが揉《も》めているようだった。

「これ以上〝花咲き〟の作品を処分するのは止《や》めろ!　陶の里に伝わる遺産だぞ!」

その中心に屋敷の人間を怒鳴《どな》りつけている女がいる。それはこの里にやってきて最初に出会った人間、漢入だった。

「まぁぁぁぁたお前か漢入！　時代は変わった。〝花咲き〟の時代は終わったのだッ！」

漢入に対し、極彩色《ごくさいしき》の衣《ころも》をはおり、七色に光る陶器のアクセサリーを至るところに身につけた、悪趣味の極《きわ》みとも言える、でっぷりとした男が言い放つ。年は四十代だろう。

「……陶神豪焼《ごうしょう》。恐らくあれが今の里長《さとおさ》だ」

「あの脂《あぶら》ぎって、テカテカしてる奴《やつ》が里長なのか……うんッ？」

デイダラの故郷、岩隠れの里を長年取りしきる土影《つちかげ》・オオノキは、一見長生きしすぎたただのジジイだったが、実戦経験豊富で忍《しのび》としての才能は豊かだった。デイダラがいつかぶっ殺してやろうと思っている人間の一人だ。無視できない存在と言ってもいい。

そしてここは陶の里。様々な陶芸師がいるであろうこの場所で頭をはるくらいなのだから、相応の人間がやっているのだろうと思ったのだが、豪焼は身につけた陶器のアクセサリーが光るばかりで、本人からトップに立つ者のオーラのようなものは出ていない。

「見ろ！　この屋敷を！　地味で貧乏くさい〝花咲き〟よりも美しくゴォォォォジャスな造《つく》りッ！　町も色鮮《あざや》かに生まれ変わり、今では買いつけも増《ふ》え、潤《うるお》い豊かになった！　全《すべ》てオレの手腕だ！」

豪焼は己《おのれ》の力を誇示するように両手を広げた。

「客人用に豪華な品を作ることに文句をつけているわけではない！　代々受《う》け継《つ》がれてきた技術を捨て滅ぼし、更《さら》にはなかったことのようにしているお前が許せないんだ！　今のお前を摩焼《ましょう》じい様が見たらどう思うと……」

「……うるさい黙れえええええッ!!」

叫びながら、豪焼が漢入の頬《ほお》を思いきりひっぱたいた。漢入の細い体が飛び、地面に叩《たた》きつけられる。

「か、漢入」

「大丈夫か……」

周《まわ》りで見ていた里の住人が彼女に駆け寄ろうとしたが、そんな人々を豪焼がぎょろりと睨《にら》む。

「ダァァァァァアレのおかげで豊かな生活ができてると思ってる！」

そう言われて、人々の足が止まった。

「摩焼のジジイは里を捨てて消えたんだ！　今ではオレが里長だ！　逆らう奴は里から追いだすぞッ！」

豪焼の言葉に人々はみな顔を見あわせて、漢入に小さく「ゴメンよ……」と呟《つぶや》き、逃げるように去っていった。豪焼はフンと鼻をならして漢入を見下ろす。漢入はそんな豪焼を睨みつけた。

「穢《けが》れなき白に浮かびあがる〝花咲き〟、ここは美を尊《たつと》び芸術を愛する里じゃなかったのか……ッ」

「フンッ！　なぁぁぁぁにが美を尊び芸術を愛するだ……芸術が何になる！　芸術で腹がふくれるのか！」

豪焼は漢入を蹴《け》り飛《と》ばす。

「芸術を語る人間は妄想癖《もうそうへき》の酷《ひど》いナルシストッ！　現実など見えてないただのクゥゥゥズだぁぁぁぁぁ！」

豪焼がそう言った途端、デイダラは腰に下げたカバンの中に手をつっこもうとした。

「……おい、止《や》めとけ」

こめかみに青筋を浮かべるデイダラにサソリが言う。

「芸術をバカにしてんだぜ‼　殺していいだろ、うん‼」

「ここがどこかわかってんのか。人通りが多い往来だぞ。余計な騒ぎを起こすな」

サソリの冷静な言葉にデイダラは憎らしげに舌を打つ。

「漢入ゥ、この里にお前の理解者は一人もおらんのだ、芸術などという幻《まぼろし》に取《と》り憑《つ》かれた愚《おろ》かな女よ！」

豪焼はそう吐き捨てて極彩色の羽織《はおり》を翻《ひるがえ》し、屋敷の中へ戻っていこうとする。

「……うん」

デイダラはもう一度カバンに手をつっこみ、指の関節一つ分程度しかない蜘蛛《くも》型を作った。サソリは呆《あき》れているようだが今度は何も言わない。それをよいことにデイダラは蜘蛛型を豪焼の羽織に投げつけ、屋敷のドアを開けた瞬間「喝《かつ》」と唱《とな》えた。

途端、ボンっと音を立て、豪焼の衣が燃える。

「なななななななな、なぁぁぁぁぁぁぁんだこりゃぁぁぁぁぁぁぁぁッ！」

「ご、豪焼さまッ！」

突然燃えだした衣を見て、部下たちが慌《あわ》てて火消しに走る。太い体を揺らして騒ぐ豪焼は滑稽《こっけい》だった。

「アンタたちは……」

腹を抱《かか》えて笑っていると、漢入がこちらに気づいたようだ。

彼女はデイダラのことも、デイダラが見せた爆発するアートのことも思いだしたのだろう。よろよろと立ちあがるとこちらに歩み寄ってくる。

「……すまないな」

「ああ？　オイラがムカついたからやっただけだぜ、うん」

それでも漢入は屋敷の中を走り回る豪焼を見て微笑《ほほえ》む。

「アンタのアートの良さが今、少しわかった。爽快《そうかい》だな」

良いものが見られた、ありがとうと、漢入は律儀《りちぎ》に頭を下げて去ろうとした。

そんな彼女に、サソリが声をかける。

「おい、小娘。〝満開の摩焼〟はどうしたんだ?」

それに、漢入が振り返った。

「摩焼じい様を知っているのか!」

思わず叫んだ漢入だったが、刺すような周囲の視線を感じ押し黙る。

彼女は西日を浴びてなおいっそう煌《きら》びやかに輝く陶神屋敷を複雑な表情で見上げて言った。

「……ここでは話しにくい……町を出よう」

6

「なんだこれ、陶器でできてんのか……うん?」

つれてこられたのは、漢入の窯《かま》から更《さら》に登ったところにある神社だった。名を陶神神社というらしいのだが、ここに、目がさめるような白い鳥居がある。よくよく見れば陶器でできているようだ。

「ん……？」

そしてこの白い鳥居には、まるで咲き乱れる花のような紋様《もんよう》が浮かびあがっていた。

「それが〝花咲き〟だ」

漢入が蘇《よみがえ》らせようとしている技術。彼女に言われて、デイダラは普段使っているスコープを左目にはめ、模様を見る。

「……ヒビじゃねーか、うん」

そう、陶器の表面には細かいひび割れができており、それが花の形を模していた。

「そうだ。〝花咲き〟は陶器の表面に針先よりも細いヒビを無数に作って、花のように見立てる技術。小さなヒビが陰影《いんえい》となって白い陶磁器に模様を描きだすのだ」

漢入は花咲きの鳥居にそっと触れる。

「しかし陶器に花を咲かせるのは至難の業《わざ》。ヒビが深ければ陶器は壊れるし、ヒビが浅くて少なければ花には見えない。膨大《ぼうだい》な知識と経験、熟練の技《わざ》なくして花咲きは成《な》り立《た》たないのだ。花咲きの技術を習得することは陶の里の人間にとってこれ以上ない誉《ほま》れだった。

そして……」

漢入は鳥居から手を離し、サソリを見る。

「この花咲きの技術を誰よりも愛し、花咲きに誰よりも愛されたのが先代陶神、摩焼様だ。摩焼じい様が生みだす花咲きは全《すべ》て満開の花」

漢入は胸元から陶器のペンダントを取りだす。見れば丸い陶器の表面に花の模様がびっしりと浮かびあがっていた。摩焼が手がけたものなのだろう。

「それで〝満開の摩焼〟か……うん」

「ああ。親を亡《な》くした私を引き取ってくれた恩人でもある。このペンダントは私が陶芸家になりたいと言ったとき、摩焼じい様がくれたものだ。師弟の証《あかし》でもあり、摩焼じい様も同じものを持っている」

豪焼とは違い、こちらはかなりの技術者だったらしい。

「だけど旦那《だんな》、なんで先代を知ってたんだ？」

「……うちのババアが花咲きの陶器を傀儡《くぐつ》に使用したことがあったからな」

サソリの言葉に漢入は合点《がてん》がいったように頷《うなず》く。

「傀儡……聞いたことがある。砂隠れの里に依頼されて花咲きで傀儡のパーツを作ったと」

「花咲きは火に強く、なによりチャクラの伝導率が良い。そのヒビ割れが人間の血管みてえにチャクラをくまなく通していくんだからな。……量産できないのが難点だが」

「依頼主の希望どおりにパーツを作れるのは摩焼じい様しかいなかったとも聞いている」

「ああ。その摩焼も自分の芸術活動が最優先だ」

人に頼まれてものを作るより、自分が作りたいものを作る方がよかったのだろう。

「その摩焼が里を捨てるだなんてよっぽどなことに思えるがな」

「摩焼じい様は里を捨てたりなんかしない！」

漢入は拳《こぶし》を握り、声を荒《あら》らげる。

「確かに……確かに、晩年、摩焼じい様は少しおかしかった。この里を捨てて、新天地を探すと言いだしたり、この里にいてはダメだと怒りだしたり」

「それで、一人でどっか行っちまったのか、うん？」

「わからない……。ある日、忽然《こつぜん》と消えてしまった。しかもいなくなったのは摩焼じい様だけじゃない。花咲きの技術を持っていた他の陶芸師たちもだ。残されたのは手紙が一枚。

『新天地を見つけたら帰ってくる』……ただそれだけ。もう十年前の話だ」

漢入は花咲きのペンダントをぎゅっと摑《つか》む。

「それから、息子《むすこ》の豪焼が里長《さとおさ》となった。豪焼は〝花咲き〟を嫌い、受けのよい、派手で豪華な陶器を作ることを推奨《すいしょう》した。それが高値で取引されるようになり、町は裕福になったが……逆に花咲きの技術は急速に廃《すた》れていった。今では誰一人、花を咲かせることができない」

日が暮れ、冷たい風に木が揺れる。漢入は小山のふもとに広がる陶の里を見た。里から立《た》ち昇《のぼ》る煙が、風に吹かれて流れていく。

「豪焼はああ見えて腕は良い……だが、芸術よりも金を選んだこの里に未来はない。早々に見切りをつけて里を去るのが正しいことかもしれないが、いつか摩焼じい様が戻ってくるのではないかと思うと離れられない」

そこまで言うと、彼女は自分のことを長々と語ってすまないと詫《わ》びた。

「日が暮れてきた。今から旅路に戻るのも危険だろう。宿がなければ私の家を使えばいい。部屋はある」

それにデイダラがサソリを見る。

「どうする、旦那?」

サソリは一瞬考える素振《そぶ》りを見せてから、

「宿を借りるか」

と答えた。用心深いサソリにしては珍しい。

「んじゃ、よろしく頼むわ、うん」

漢入は「ああ」とわずかに微笑《ほほえ》んだ。

7

窯《かま》の裏手にあった漢入の家は一人で住むには広く、デイダラとサソリ、それぞれに部屋を割り与えてくれた。デイダラは二階の部屋だ。

考えてみれば、〝暁〟の任務で町を破壊してからこの数日、空の移動を続けてろくに休んでいない。部屋には小さな机と粗末なベッドしかないが、疲れを取るには十分だ。衣《ころも》を脱ぎ、軽装でベッドに横になりながら、デイダラは両手を合わせ軽く揉《も》む。新しい爆発の構想を練《ね》ることにも余念がない。

恐らくサソリも〝傀儡《くぐつ》〟の手入れをしているのだろう。サソリは己《おのれ》の体自体もメンテナンスが必要なのだから。

「ん？　変な臭《にお》いがするな……うん？」

鼻を突くような臭いに気がつき、デイダラは身を起こした。小窓がわずかに開いており、そこから臭ってくる。外を見ると、窯から立《た》ち昇《のぼ》る煙が見えた。どうやらあの煙の臭いのようだ。窯の前には漢入がおり、火の調整をしている。デイダラは窓を開け放つと、そこから地上に飛び降りた。

「まだやってんのか……うん」

「……ッ！　どこから出てきたんだ」

突然背後に現れたデイダラを見て漢入はたいそう驚いたが、すぐに窯に視線を戻した。

「花咲きは火の調整が最も難しいと言われている……今は仕上げ前だ。目が離せない」

赤い炎を巻きあげる窯の中。ここで陶器が焼かれている。ただ、爆発になれているデイダラには火力が弱いように見えた。

「もっと一気に燃やしちまった方がいいんじゃねーの、うん」

芸術は爆発だからな！　と熱く語るデイダラだが、漢入は「そんなことをしたら陶器が粉々になるだろう」と言った。

「そういえばあんたの連れは何も食べなくてよかったのか？」

漢入はデイダラたちに簡単な食事を作ってくれたのだが、サソリは食べることなく、早々に部屋に入っていたのだ。

「ああ、旦那《だんな》はいいんだよ。旦那の芸術に飯《めし》はいらねーからな……うん」

「身内が砂隠れの傀儡使いらしいな。サソリ……と言ったか。サソリも傀儡使いなのか？」

「ベラベラしゃべるのはクールじゃねぇが、まぁ、そういうことだな。オイラと一緒で芸術を追い求める忍《しのび》だ……うん」

「アンタとサソリは芸術性がかなり違いそうだが」

「まーな。なにせ求めてるもんが違うから。しょっちゅう衝突するぜ。オイラには旦那の芸術が理解できねーしな、うん」

漢入はふうん、と呟《つぶや》き、薪《まき》をくべる。

「だったらなんで一緒にいるんだ？」

素朴《そぼく》な疑問だったのだろう。その問いかけにデイダラは特に悩むことなく、

「でもま、芸術家としてサソリの旦那は尊敬できる相手でもあるんだよな……うん」

と答えた。好きで一緒にいるわけでもないが、これでも一応サソリに一目《いちもく》置いている。

「サソリの旦那は自分の芸術のために、人間である自分を殺し続けてんだ。ま、さすがにこれ以上殺す部分もなくなったみてーだけど……うん」

永久の美を求め、自《みずか》らの体も傀儡へと変えていったサソリ。既《すで》に胸の核を除いては人の部分はない。

「なるほどな……」

デイダラの説明だけでは事情を全《すべ》て察することはできないだろう。それでも漢入は何か

感じるものがあったようだ。

「アンタたちには覚悟があるんだな……」

漢入は一つ息を吐く。

「摩焼じい様がいなくなって既に十年……いつの間《ま》にか私も、芸術を諦《あきら》めたこの里に染まっていたのかもしれない」

「芸術ってのは流動的なもんだ。毎日同じことやってても意味ねーぜ、うん」

デイダラはべつに、漢入に対して教訓じみたことを言ったわけではない。ただの自分語りだ。

それでも漢入は胸に突き刺さったようで言葉をなくしている。

「ふぁ……眠くなってきた。オイラは部屋に戻るわ、うん」

好き勝手話したデイダラはあくびを噛《か》み殺し、漢入のことなど気にせず家に戻った。今度はちゃんと玄関から入り、階段を上がろうとしたのだが。

「……デイダラ」

そんなデイダラを待っていたかのようにサソリが部屋から出てきた。

「サソリの旦那。どうしたんスか」

「さっさと準備をしろ。行くぞ」

デイダラは思わず瞬《またた》く。サソリは構《かま》わず続けた。

「粘土《ねんど》を盗《と》りに行く」

瞬いていた目を大きく開いて、デイダラはニッと笑った。眠気はもうない。

「すぐ来るぜ……うん！」

「待たせんなよ」

芸術こそデイダラのエネルギー。


漢入に気づかれないように家を離れ、最初に向かったのは陶神神社だった。暗闇《くらやみ》の中でさえうっすら光っているように見える真っ白い鳥居《とりい》をサソリが見上げる。

「まずは確認だ」

〝暁〟の衣の下から、ヒルコの尾がゆらりと姿を見せたかと思いきや、突然、鳥居を攻撃した。陶でできた鳥居はヒルコの尾に破壊され崩れ落ちる。

噴煙が舞い飛び、それがキラキラと輝くのを見てデイダラは、

「旦那！　なんでオレにやらせてくれなかったんだよ！　ずりぃよ、うん！」

と叫んだ。

「吹っ飛ばしたんじゃ意味ねーんだよ。デイダラ、破片を拾って触《さわ》ってみろ」

「初めて見たときからオイラのアートで吹っ飛ばしたいと思ってたのに」

「うるさい黙れはやくしろ」

抜け駆けだとブツブツ文句を言いながら、デイダラは破片の一つを拾いあげ、指でなぞる。

「………！」

指先で感じる陶器の感触。何故《なぜ》かこれが粘土だった頃の感触を想像できた。それが、採掘所にあった粘土とは比《くら》べものにならないほど、上質な粘土であっただろうことも。

「旦那、これ……」

サソリは確信を得たように鼻で笑って、煙が立ち昇る里を見る。

「里を守るためなら何でも犠牲《ぎせい》にする上に他人なんかろくに信じねぇババアが認めていた花咲きだ。技術はもちろん、素材も最高に決まっている」

「だったら他に粘土の採掘所があるってことか……うん」

ならばそれはどこにあるのか。デイダラの疑問にサソリの視線は里に向けられたままだ。

いや、正確に言えば町の中央。そこからも煙は上がっている。

「デイダラ、芸術をバカにする奴《やつ》に良い品《しな》を作れると思うか？」

――豪焼はああ見えて腕はいい。

漢入の言葉が蘇《よみがえ》る。それが今は猛烈な違和感となってこみあげた。

「素材が良ければ、ある程度上手《うま》くできることはあるがな」

サソリは漢入の言葉から全てを読み取っていたのだ。

「へへ……そんな奴の作品なんかたいしたことねーに決まってるぜ、うん!」

8

陶器で作られた灯籠《とうろう》の明かりが、町を静かに照らしている。その明かりを受けて光る陶製タイルの道を踏み、やってきたのは陶神屋敷。豪華絢爛《けんらん》な門の前に立ったデイダラはニヤリと笑う。やっと自由にアート活動ができる。

「いくぜ、芸術は爆発だッ!」

デイダラの手から飛び出したのは愛らしい小鳥の形を模した起爆粘土《ねんど》たち。それが飛び立ち、一斉《いっせい》に門へとつっこむ。

——喝《かつ》ッ!!

小鳥は爆発し、門を木《こ》っ端《ぱ》みじんに吹き飛ばした。他人の芸術がデイダラのアートの力で一瞬の美へと昇華《しょうか》する。

「これこそ芸術だぜ……うん！」

「な、なんだ何事だッ⁉」

すぐに屋敷の護衛たちが駆けつけた。金があるだけのことはあり、忍《しのび》を雇《やと》っていたようだ。

「なんだ貴様ら！」

デイダラたちを見つけた見張りがクナイを手に飛びかかってくる。

「フン」

すると、サソリの〝暁〟の衣《ころも》の中から細い細いチャクラ糸が飛び出した。それが飛びかかってきた見張りに貼《は》りつく。

「ほらよ」

サソリが軽くチャクラ糸を動かせば、跳躍《ちょうやく》から一転、見張りは地面に叩《たた》きつけられた。

「終わりだ」

見張りの右手を操《あやつ》り、クナイを自《みずか》ら喉《のど》に突き刺させる。

「ど、どういうことだ……」

仲間が突然自害した姿を見て、他の見張りたちは唖然《あぜん》とした。

「よそ見してたらオイラのアートが見えないぜ……うん！」

そんな他の見張りたちに、今度はデイダラが蜘蛛型《くも》を投げる。

――喝ッ!

爆破とともに吹っ飛ぶ体。圧倒的な力の差に元々たいした信念もない忍たちは震えあがって逃げだす。

「デイダラ、たしか屋敷の中央に陶神家の作業場があるはずだ。回り道すんのもめんどくせぇ。適当に爆破して道を作れ」

「芸術に適当なんてもんはないぜ、うん!」

ここはまさに正面突破。デイダラはカバンに両手をつっこんだ。


「……どういうことだこれは……ッ」

陶神神社の方角から盛大な破壊音が聞こえてすぐ、何事だと駆けつけた漢入はそこで、破壊された花咲きの白鳥居を見た。

訳《わけ》がわからず呆然《ぼうぜん》と立ちすくんでいると、今度は町の方角から爆発音が響《ひび》く。見れば里の中心、陶神屋敷から火の手が上がっていた。

「まさか……」

漢入は神社から駆け下りて、家の中へと飛びこんだ。

「いない……いない！」

部屋は既《すで》にもぬけの殻《から》。そうしているうちに、町から新《あら》たな爆発音が聞こえてくる。

「……くッ」

漢入はぐっと唇《くちびる》を噛《か》みしめると、町に向かって走りだした。


「ここが作業場か」

突然の襲撃に屋敷の中は阿鼻叫喚《あびきょうかん》。使用人たちが悲鳴をあげて逃げまどっている。

この作業場にも誰もおらず、ろくろの上には粘土が放りだされていた。

「もしかしたらこれが……うん」

デイダラはろくろの正面に立つと粘土に手のひらを押しつけた。手の口は粘土をムシャムシャと食べていく。

普段と異《こと》なる感触。練《ね》りこまれるチャクラの感覚。吐きだした起爆粘土をぎゅっと握りしめ、造形すれば普段以上の滑《なめ》らかさ。

「きたぜ……うん」

デイダラの体が興奮で震える。作ったのはオーソドックスな蜘蛛型だったが、普段の何倍も輝いて見えた。

「サソリの旦那《だんな》！　この粘土、いつも使ってる奴《やつ》と比《くら》べものにならねーぜ！　より滑らかな曲線が、デフォルメの美しさを極限まで高めている。これぞ芸術革命だ、うんッ！」

蜘蛛型を高く掲《かか》げて叫んだデイダラだったが、サソリはデイダラに見向きもせずヒルコの尾を使って作業場の棚《たな》を次々とひっぱりだして床に落としている。

「旦那、オイラのアートを……」

なんとしてでもこの芸術の良さを伝えたいデイダラだったが、サソリは「興味ねぇよ」とここにきて冷たく言い放った。

「興味ねぇってどういうことだよ、うん!?」

導火線が短いどころか全《まった》くないデイダラが叫ぶ。それも無視してサソリは何かを探しているようだ。

床に散乱した棚の中には、陶芸のことが書《か》き記《しる》された巻物が入っている。サソリはそれを開いて中身を確認していた。

「……これだ」

なにやら小難しい薬の配合が記された巻物を見つけて、棚を荒らしていたヒルコの尾が止まる。

「……釉薬《ゆうやく》の秘伝書？」

漢入も陶器に使っていた釉薬。釉薬とは陶器の表面に光沢《こうたく》を出す塗り薬のようなものだ。

サソリとは無縁なものに思えるのだが、サソリはその巻物を衣《ころも》の中へと入れる。

「いいか、釉薬ってのは成分次第《しだい》じゃ毒にもなることがあるんだよ。そんな釉薬の危険性も含め最も熟知しているのはこの陶の里。その中でも最も歴史が古い陶神家に釉薬の秘伝書があったってことだ」

サソリは傀儡《くぐつ》のカラクリに毒を仕込んでいるため、毒に造詣《ぞうけい》が深い。毒は常《つね》に解《げ》毒剤《どくざい》とのいたちごっこ。常に新しい毒を生みださなければ、毒は効果を発しない。そのため、釉薬の毒性についても興味があったのだろう。

「……サソリの旦那、もしかして初めからそれが目的だったのか、うん？」

「オレがお前のためだけに動くはずがねぇだろ」

まさにそのとおりである。

なんだかこめかみに青筋がたちそうになったが、デイダラの手には革命的な蜘蛛型があった。

「旦那、オイラの目的はまだ達成してないぜ！　この粘土のありかを見つけださないと……うん！」

どこかにこの粘土の採掘所があるはずだ。

爆破による炎はますます勢いを増していた。消火作業も意味をなさない勢いだ。そんななかを「豪焼の奴見つけねーとな、うん」と慌《あわ》てることなく進む。

「さすがに屋敷の中にはいないだろー、うん」

「豚の丸焼きになっちまうからな」

そんなことを話しながら、庭に足を向けた。

「……！」

すると、視界を何かが横切ったのだ。

「旦那、あれ！」

見ればバスローブ姿のでっぷりした男が、屋敷を飛び出し庭を突き抜け、敷地の奥へと走っていく。

「旦那！　豪焼だ、うん！」

この革命的蜘蛛型を投げて動きを止めようとしたが、サソリが「待て」と制した。

「動きが怪《あや》しい。あとをつけるぞ」

「つーか目立つな、うん！」

丸い巨体がドスドスと走る姿は見失う方が難しい。しかも絶望的に足が遅い。必死で走っていることは伝わってくるが、あまりのじれったさに気が短いサソリが「殺すか」と呟《つぶや》いた。今度は「旦那がまだ殺すなっつったんだろ、うん！」とデイダラが止める。

「ん、やっと着いたのか？」

ようやく豪焼の動きが止まったのは広大な敷地の中でも隅《すみ》の隅。そこには、膝丈《ひざたけ》ほどもない小さな鳥居《とりい》があった。色は白く光沢があるため、恐らく陶神神社にあった鳥居と同じく花咲きの陶器でできたものだろう。

ここにきて、豪焼がきょろきょろと周囲を警戒し始めた。不審に思ったデイダラは左目にスコープをつけ、目をこらす。すると、鳥居のすぐ傍《そば》、草むらに隠れるように作られた鉄の入り口を見つけた。

「旦那、多分あれが採掘所への入り口だ、うん！」

あそこに粘土がある。確信めいた予感が走り、身を低くしていたデイダラは立ちあがった。場所がわかったのだ。もう待つ必要はない。

「さてと、てめーには言ってやりたいことがあったんだよな……うん」

突然姿を見せたデイダラに、豪焼は驚き後ずさる。

「な、何だお前は！」

――芸術が何になる！　芸術で腹がふくれるのか！

――芸術を語る人間は妄想癖《もうそうへき》の酷《ひど》いナルシストッ！　現実など見えてないただのクゥゥ

ウズだぁぁぁぁ！

豪焼が発した芸術を軽《かろ》んじる言葉。芸術を愛し、芸術に生きるデイダラには許せるものではない。

「ここはクールにいくぜ。いいか、芸術ってのはな……」

デイダラは蜘蛛型を豪焼に放り投げる。緩《ゆる》やかな放物線を描き飛んでいく起爆粘土。あんぐりと口を開けてそれを見ている豪焼。デイダラは立てた二本指を鼻筋に当てた。

「爆発だッ!!」

——喝!!

この里の上質な粘土で作った起爆粘土がカッと閃光《せんこう》を放ち破裂する。その威力は今まで使っていたものとは比べものにならない。デイダラが立っている位置まで熱風が届く。

「ハッ、すげぇぞ、うん！」

豪焼に感じた不快な気持ちも全て爽快《そうかい》に吹っ飛ぶ。期待以上の出来だ。

これで粘土も手に入る——そう思ったのだが。

「……おい、この扉、封印術が施《ほどこ》されてて開かねぇぞ」

爆発に巻きこまれ跡形《あとかた》もない鳥居のすぐ傍、草が燃えつきあらわになった地下に続く鉄の扉を見てサソリがぼやく。

慌てて確認すると、扉には無数の札が貼《は》りつけられており、しかもあの爆風を受けながら焦《こ》げてさえいなかった。

「封印術!?　忍者でもねーのになんでそんなものかかってるんだよ、うん！」

「こういう昔から続いている家ってのは、忍術は使えなくても特殊な技能を編《あ》みだしたりしてんだよ」

扉に貼られた札を読み取りながらサソリが言う。

「どうやらこれは、陶神家の人間だけが開け閉めできる封印術のようだな」

「……てことは」

「この扉は開かねー」

「…………」

「…………」

まさかの事態に二人の間に沈黙が流れる。しかしデイダラは負けなかった。

「……ここまで来て手ぶらで帰るなんて、オイラのアート魂《だましい》が黙ってないぜ、うん！」

陶神家の作業場で見つけた粘土を新たに手に喰わせ、今度はチャクラを多めに練りこむ。

「……オイラの十八番《オハコ》、C2《シーツー》ドラゴンだ、うん！」

デイダラは粘土に練りこむチャクラの量を状況に応じて使い分ける。デイダラはドラゴンの背に飛び乗った。

「旦那、飛ぶぜ！」

サソリはやれやれといった様子《ようす》でデイダラの後ろに乗る。そして、空に羽ばたこうとしたそのときだ。

「……デイダラ、サソリ！」

既《すで》に誰もが逃げだしてしまった屋敷に漢入が駆けこんできた。彼女はキッとデイダラたちを睨《にら》みつける。

「やっぱりアンタがやったんだな……何故《なぜ》こんなッ」

「うるせェな」

漢入の言葉を遮《さえぎ》ったのはサソリだった。

「神社でも思ったが、他人のことをああだこうだと無駄口ばかり」

サソリは見下げるように言う。

「てめーは摩焼のジジイを言《い》い訳《わけ》に里にしがみついてるだけだろ」

「……！」

「ノコノコこんなところにやってきたのがその証拠《しょうこ》だ。てめーは芸術よりもこの落ちぶれた里を選んだんだ。……くだらねェな」

漢入はサソリの指摘に絶句して、何も言い返せなかった。

「行くぞ、デイダラ」

言われて、デイダラはドラゴンの羽を広げる。

「……違う」

そこで、漢入が拳《こぶし》を握りしめ顔を上げた。

「私はお前たちが花咲きの作品を壊したことが許せなかっただけだッ！」

恐らく陶神神社の鳥居のことを言っているのだろう。

「だからここに来た！　私の大事なものを傷つけたからだ！」

それは、ただの強がりだったのかもしれない。それでも漢入の眼差《まなざ》しに芸術家としての強い意志を感じた。

「だったらここから離れた方がいいぞ……うん」

デイダラがそう言うと同時にドラゴンが浮かびあがる。

「永久に花咲きの美が消えるかもしれないからな……うん」

漢入はデイダラが何を言っているのかすぐにはわからなかったようだ。しかし、言葉を飲みこみ、咀嚼《そしゃく》してようやく理解した。

「……っ」

漢入は表情を歪《ゆが》ませると、デイダラたちに背を向け、走りだした。ドラゴンはゆっくり空へと昇っていく。

「一宿一飯《いっしゅくいっぱん》の恩はあるからな、うん」

「休む前に家を出たし、大体オレは飯《めし》を食ってねぇ」

漢入に借りなど何一つないと言いたいのだろう。そんなサソリをデイダラが鼻で笑う。

「旦那が鳥居を壊すから悪いんスよ、うん」

「ああ？　なんでそうなるんだよ」

ドラゴンの長い尻尾《しっぽ》がゆらゆら揺れる。左目のスコープで町を見下ろしながらデイダラは言った。

「オイラだって花咲きを爆発させたいって思うにきまってんじゃないスか……うん」

サソリが大きな白鳥居を壊したとき、白い花が飛び散るようでまさにアートだった。デイダラが爆発させていれば、もっと美しく昇華《しょうか》されたはずだ。デイダラはそれが見たい。だからこそ――作り手が必要だ。

上空から陶の里を見下ろす。中心にある陶神屋敷は赤く燃え盛り、町の陶製タイルを赤々と照らしていた。極彩色《ごくさいしき》にいろどられて統一感がなかった町が赤一色に染まる風景は美しい。

ドラゴンの長い尾が、突然、内側にのめりこむようにして短くなった。尾の粘土がドラゴンの体内を通り、また別の形に造形されてドラゴンの口から顔を出す。

「今はこれで満足しておくか……うん」

吐きだされた新たなドラゴンは陶神屋敷に向かって羽を広げた。


「く……っ」

陶神屋敷から休むことなく全力で走り、汗をボタボタとたらした漢入は、自《みずか》らの窯《かま》の前に立っていた。本当は、もっと遠くに逃げなければならない。しかし窯の中には自分が作った作品がある。

またいつものように失敗作かもしれない。それでもここから逃げたくはなかった。

陶の里の空は赤く燃え、遥《はる》か上空に龍《りゅう》がいる。

「………！」

その龍の口から、新たな龍が生み出された。その龍が町の中心へと急降下する。漢入は覚悟を決め、目を閉じた。

——喝ッ!!!

今まで聞いたことのない轟音《ごうおん》と空気までも破壊するかのような衝撃波。

「……うん!」

形あるものが破壊され砕け散る。何もかも奪う膨大《ぼうだい》なエネルギー。たった一瞬で終わり、たった一瞬でしか見ることができない究極の美。

デイダラはこれを見るたびに確信する。

「芸術は爆発だッ!!」

爆風は漢入のところまで到達し、窯の火が一気に燃え盛った。

9

芸術の里として繁栄したその町は、今はただの瓦礫《がれき》の山。

あちらこちらで炎が燻《くすぶ》るなか、陶神屋敷と呼ばれていた場所にはひときわ深く大きな空洞ができていた。

爆発でできた穴ではない。

「……でけーな、うん」

その空洞にドラゴンを着地させデイダラはぐるりと辺《あた》りを見回す。陶神屋敷の地下に、巨大な粘土《ねんど》の採掘所があったのだ。

恐らく豪焼は火の手から逃《のが》れるため、ここに避難しようとしていたのだろう。

「やっと見つけたぜ、うん！」

地上から遠く離れたこの場所に、粘土はあった。

デイダラはその粘土を取り、手に喰《く》わせ確認する。素早く練《ね》りこまれるチャクラ、インスピレーションをかき立てる張り。まさに上質な粘土だ。

しかし、採掘所を改めて見てデイダラは肩を落とす。

「なぁ、旦那《だんな》。粘土、少なくねーか？」

そうなのだ。ようやく見つけたこの採掘所。しかし粘土の量は多くない。他に粘土が貯《たくわ》えてある場所はないかと採掘所をくまなく探していると、わかりにくいところに隠し部屋を見つけた。

「こういうところにあるんじゃねーのか、うん！」

意気揚々《ようよう》と中を覗《のぞ》きこんで、思わず目を丸くする。

「……旦那、旦那、ちょっと見てくれよ、うん」

「ああ？」

デイダラは、捜索《そうさく》には手を貸さず、陶神家からくすねた釉薬《ゆうやく》の秘伝書を見ていたサソリを呼んだ。

「ドクロの山だぜ、うん」

そこには白骨化した遺体がいくつも転がっている。

「…………」

サソリがそれを注意深く観察し、何かに気づいたのかその一体に尾を伸ばした。尾はドクロの首もとにあったネックレスを拾いあげ、強引《ごういん》に奪《うば》う。頭蓋骨《ずがいこつ》が転がっていく。

「なんだ、旦那。欲しかったのか？　うん」

「見てみろ」

首を傾《かし》げるデイダラに差しだされたネックレス。そこには丸い陶器のペンダントが付いていた。白くて光沢《こうたく》があり、そして、満開の花が咲いている。これには見覚えがある。

「……漢入が持ってた奴《やつ》だよな、うん」

彼女が大事そうにしていたペンダントと同じだった。

「てことは、このドクロ……」

転がった頭蓋骨を眺め、デイダラはその名を思いだす。

「〝満開の摩焼〟なのか、うん」

このペンダントは師弟関係の証《あかし》だとも漢入は言っていた。

「裏に摩焼の銘《めい》も入っている。間違いないだろう」

サソリは隠し部屋から離れると、地中奥深くまで掘られたこの採掘所を改めて見渡す。

「……元々、少なくなってきていたのかもしれねぇな」

「うん？　どういうことだ、旦那」

サソリは一つ息を吐く。

「大体人間ってのは、生きるために必要な資源がある場所に家を構《かま》える。水とか食料がいい例だが、ここは陶の里だ。陶磁器を作るために必要なものが揃《そろ》った場所に住みつき里として発展したんだろう。要するに、この粘土だな。だが、長い年月をかけて、その資源を使いつくしてしまったのかもしれねぇ」

ここから地上を見上げれば、遥《はる》か高い。

「恐らく花咲きの技術は、この粘土なしじゃ成《な》り立《た》たないんだろう。だから摩焼は里を捨て新天地を目指《めざ》そうと言ってたんじゃねぇのか」

「それに、息子《むすこ》の豪焼が反対したってところか、うん」

悪趣味なほどに町を飾り立て、煌《きら》びやかな装飾を身につけていた豪焼の姿を思いだす。

「高度な花咲きの技術だが、どっちかっつーと玄人《くろうと》向けだ。一般人は派手で豪華な品が好きだからな。あの小娘が、摩焼とともに優《すぐ》れた花咲き陶芸師も消えたと言っていたが、豪焼は私利私欲のために花咲きの技術を自分の親父《おやじ》ごと封印したんだろ。大した悪党だな」

豪焼を小馬鹿にするようにサソリは言う。何故《なぜ》か、サソリが苛立《いらだ》っているように感じた。肉親を殺した豪焼に何か思うところでもあるのだろうか。

しかし、サソリはすぐに普段どおりに戻る。

「ま、そうはいってもここの粘土は高級品だ。自分の陶芸用には使ってたんだろ。それに、他の奴らには普通の粘土を使わせておきながら、絢爛《けんらん》豪華な物作りに転換させることで町を繁栄させたんだ。そういう意味じゃ、やり手だったかもな」

サソリは短気だが、どこか達観しているところもある。豪焼への評価も客観的で的《まと》を射《い》ているのだろう。ただ、金儲《かねもう》けや里の繁栄に関してデイダラは興味がない。気になったのは別のことだ。

「じゃあ、もう花咲きは消えちまうのか、うん?」

ここにある粘土は全《すべ》てデイダラが持っていくつもりである。そうはいってもたいした量はないが、花咲きを作るために必要な粘土は消えるのだ。

「さぁ、知らねぇな。ただ」

「ただ？」

「……満開の摩焼は諦《あきら》めてなかったみたいだからな」

果たして、あの娘は――

10

目覚めは痛みによって引き起こされた。痛みによって生きていることを実感した。

「う……」

漢入は頭を押さえ起きあがる。背中の下には家の周辺の雑木林から飛ばされてきたのであろう枝葉が積《つ》み重《かさ》なっていた。どうやらこの枝葉が衝撃を吸収してくれたらしい。

「……ッ、作品は！」

真っ先に思ったのは、窯《かま》の陶器たちのことだった。周《まわ》りの風景が様変《さまが》わりしたなかで漢入は窯を探す。

「あ、あれは……っ」

立《た》ち昇《のぼ》る煙を見つけ重い体を引きずるようにして近づくと、破壊された窯があった。中にあった陶器も全《すべ》て割れている。漢入はその場に座りこんだ。

「………？」

しかし、その割れた陶器の破片が真白く輝いていることに気づく。刻《きざ》まれた模様も見えた。漢入は着ていた服を引きちぎり両手にぐるぐる巻くと窯の中からまだ熱を持つ破片を拾いあげた。

「これは……」

そこには、美しい花模様が浮かびあがっている。これぞまさに究極の白、〝花咲き〟だった。

「バカな、どうして……ッ」

——もっと一気に燃やしちまった方がいいんじゃねーの、うん。

デイダラの言葉が蘇《よみがえ》る。同時に、爆風に煽《あお》られ一気に燃え盛る窯の様子《ようす》も思いだした。

「そうか……、仕上げで一気に高温にして意図的にヒビを作るのか……ッ！」

陶器を大事にするあまりに、火に勢いを持たせきれていなかった漢入。それではダメだったのだ。それこそ、爆発するくらいの勢いで燃やさなければ。

粘土はこの高温に耐えきれなかったらしいが、漢入にとっては大いなる一歩だった。

「土だ……あとは高温に耐える粘土さえ見つければ……」

そこでまた蘇る声がある。満開の摩焼と呼ばれ、花咲きの技術をほしいままにした陶神摩焼の言葉だ。あとはこの里で穏《おだ》やかに朽《く》ちる日を待てばよかったはずの摩焼は言った。

――漢入。いくら老《お》いぼれようとも芸術のため、ワシは新天地を探しに行くのだ……！

花咲きが刻まれた破片をぎゅっと握りしめ、漢入は涙をこぼす。そんな漢入の頭上から何かが落ちてきて、彼女のすぐ傍《そば》でカシャンと音をたてて割れた。

見ればそこには落下した衝撃で割れたペンダントがある。漢入はそれに見覚えがあった。摩焼が師弟の証《あかし》だと言ってくれたものだ。

「どうして」

漢入はそれを握りしめ、空を見上げる。するとそこには翼《つばさ》を広げ飛び去っていく龍《りゅう》がいた。

ここからは見えないが、あの背にはデイダラとサソリが乗っている。漢入は窯の中にあった破片と壊れたペンダントを両手に摑《つか》み、立ちあがった。

「必ず私が花咲きの技術を蘇らせてみせるッ!!」

龍はこちらのことなど気にもせず、高く高く飛んでいく。

己《おのれ》を貫《つらぬ》き通す芸術はある意味、誰かに対する暴力なのかもしれない。

強すぎる個性は他者の理解など得られないのかもしれない。

それでも我が道を進んでいく。
高く飛ぶ龍の背に、あの二人の生《い》き様《ざま》が浮かびあがるようだった。

枯れぬ花

1

思い出はいつも雨の中にある。

ざぁざぁと降りそそぐ雨の音に呼ばれるように小南《コナン》は窓際《まどぎわ》へと足を進めた。見えるのは天に向かってそびえる塔と、雨を受け水かさを増した水路。

変《か》わり映《ば》えのしない風景、色の乏《とぼ》しい世界、それがここ、雨隠《あめがく》れの里。

火《ひ》の国、土《つち》の国、風《かぜ》の国という強大な軍事力を持つ三国に囲まれ、数多くの争いに巻きこまれてきた。大国である彼らはこの土地を戦場にしたのだ。

理不尽《りふじん》な暴力によって踏みにじられた命は数知れず。小南もその争いの被害者だ。

親も亡《な》くした。家もなくした。食べものもろくにない。

もはや手に入れられるものは己《おのれ》の死だけ。そんな絶望のなか、小南を救ってくれた人がいた。

『……食えよ』

ぶっきらぼうで、それなのにじんわり染《し》みこむような暖かみがあって。

驚く小南の眼差《まなざ》しに、ニッと笑う少年。

——弥彦《ヤヒコ》。

全《すべ》てを失った小南に再び大事なものを与えてくれた人。

「——小南」

そのとき、ふいに名前が呼ばれた。振り返ると男が立っている。

深く突き刺さったピアスに輪廻眼《りんねがん》。喜怒哀楽《きどあいらく》など失《う》せた表情。

ペイン天道《てんどう》、今ではもう笑うことのない弥彦の体。

「マダラがこちらに向かっているようだ」

弥彦の声を通じて話しかけてくるのは小南にとって弥彦と同じように大事な人、長門《ナガト》。

小南は「わかったわ」と頷《うなず》き雨に背を向けた。

「〝偽《いつわ》りの谷〟に、尾獣《びじゅう》の情報を持つ人物がいるらしい」

椅子《いす》に腰かけ、仮面で顔を覆《おお》った男、〝うちはマダラ〟がペインと小南を見て言う。

マダラ。忍《しのび》であれば誰もが一度は耳にする、伝説と化した忍の一人だ。死んだはずの男でもある。

「……そこは角都《カクズ》と飛段《ヒダン》が跡形《あとかた》もなく破壊したと聞いたが？」

マダラの言葉にペインが疑問の声を投げかける。

〝桃源郷《とうげんきょう》〟とも呼ばれていた偽りの谷は、闇《やみ》の賞金首となり、命を狙《ねら》われた者たちが、人目を避けるように暮らしていた村だった。それを角都たちが見つけて全滅させたという報告をしばらく前に聞いていたのだが。

「それが、村から逃げて助かった奴《やつ》がいたみたいなんだよね。確認済《ず》みだよ」

「ソイツガ、岩隠《イワガク》レノ里出身デ、人柱力《ジンチユウリキ》ノ側近《ソツキン》ダッタ可能性ガアル」

マダラの代わりに回答したのは、もはや人から逸脱《いつだつ》した存在に見えるゼツだ。

いつも陽気にしゃべるのが左半分、饒舌《じようぜつ》な白《しろ》ゼツ。冷静でいて毒舌なのは右半分の黒《くろ》ゼツ。彼らは二つの人格を宿しながら、土中を移動したり、木に同化したりと特殊な能力を持っており、諜報《ちようほう》や後方支援などを得意としている。

「そういうことだ。尾獣と人柱力はそれぞれ里の機密事項。容易《たやす》く入手できる情報ではない」

「外に零《こぼ》れだした情報は拾っておく必要があるということか」

「そうだ。我々の目的のためにもな」

強く語るマダラにペインも「ああ」と同意する。マダラは満足げに頷き「それで、だ」と続けた。

「〝暁《あかつき》〟のメンバーを偽りの谷に向かわせるわけだが……」

マダラの視線が、突然、小南に定《さだ》まる。

「今回は小南、お前に行ってもらう」

「……！」

椅子に深く腰かけていた小南の体が、思わず前に傾いた。

「なにを……。私はここから離れるわけにはいかない」

小南にはペインとこの雨隠れの里を繋《つな》ぐ様々な役目がある。なによりペインを——長門を守らなければならない。

「元々角都と飛段が見つけだした村だ。彼らに任《まか》せればいいだろう」

「奴らは今、別の任務に就《つ》いている」

「だったら他のメンバーに……」

「小南」

マダラが強めの口調で小南の言葉を遮《さえぎ》る。

「お前にも〝暁〟として貢献《こうけん》してほしいと言っているのだ」

棘《とげ》のある言い方に小南は眉《まゆ》をひそめる。

「どういう意味だ」

「〝暁〟のメンバーが方々で活動しているなか、お前はいつだってペインの傍《そば》にべったり。それでは周《まわ》りに示しがつかない」

小南をマダラの写輪眼《しゃりんがん》が睨《にら》みつける。それでも納得がいかず睨み返した小南だったが、ペインが「小南……」と間に入った。

「ここは問題ない。平和のためだ」

短い言葉ではあるが、小南を黙らせる力がある。ペインが小南に行くようにと言っているのだ。小南は唇《くちびる》を噛《か》みしめ「わかったわ」と答える。マダラは満足した様子《ようす》で立ち上がった。

「偽りの谷まではゼツに案内させる」

「ゼツに……？」

指名に白ゼツが「よろしくぅー、ハハハァー」と楽しげに手をヒラヒラとさせ、黒ゼツが「ウルサイゾ」と叱《しか》った。

「なに、難しい任務でもない。よい報告を期待しているぞ……ではな」

用は終わったとマダラが早々に去っていく。その背中を小南はもう一度睨みつけた。
うちはマダラ。小南は彼を信用しているわけではない。

マダラが去ったあと、小南は任務の準備をするため自室に戻った。ゼツが言うには、ここから偽りの谷まで最低でも五日はかかるとのことだ。往復十日。内容次第《しだい》では更《さら》に長引く。その間、長門の傍にいられないのだ。

——心配する気持ちは全てあいつに注《そそ》げ。

弥彦が〝暁〟のリーダーだった頃、弥彦を気遣《きづか》う小南に彼がそう言ったことがあった。あいつとは長門のことだ。弥彦は長門が平和への架《か》け橋《はし》になる男だと信じていた。だから長門を優先するようにと常々《つねづね》彼は小南に言っていたのだ。弥彦もまた、小南にとって大事な人であるにもかかわらず。いや、小南のそんな気持ちを知っているからこそ、弥彦はそう言っていたのかもしれない。

「…………」

小南は胸元に忍ばせていた厚手の手すき和紙を取りだす。それは二つ折りにされており、そっと開くとボロボロになった押し花が現れた。花弁の縁《ふち》は茶色く変色し、花の色も黄ばんでいる。

小南は小さく息を吐き、またその押し花を胸元に戻すと部屋を出た。

「あ、小南が来たぁー。はやくはやくー！」

広間に戻ると、待っていた白ゼツが明るく声をかけてくる。そこにはペインもおり、黙ってこちらを見ていた。

「デハ、マズハ雨隠レヲ出ルゾ」

「あははぁ、先、行ってるねー」

そう言って、ゼツが姿を消す。すぐにでも追わなければならないが、小南はペインに歩み寄り、彼の輪廻眼を見た。

「……長門、気をつけて」

瞳《ひとみ》の先にいる長門にそう伝える。彼の力を疑っているわけではない。彼は無敵、彼こそ世界に平和を与える存在。

ただ、全てを一人で背負い無理をする彼だからこそ一人にするのは心配なのだ。

「わかっている」

長門は淡々と答え押し黙る。小南はわずかな胸の痛みを覚えながらも「行ってくるわ」と伝えて塔を出た。

今日もこの国は雨が降っている。

2

雨隠れの里を出てしばらくすると、雨が消え青空がのぞき始めた。

雨雲に閉ざされていない空はどこまでも広く高い。そして、太陽の光は眩《まぶ》しく、まるで自分は全《すべ》ての生きものに平等なのだとでも言うかのように大地を照らしている。それが、少し憎らしかった。

雲のない世界は、こんなにも様々な色で溢《あふ》れている。

「あ、小南、こここここー」

偽《いつわ》りの谷へと続く山のふもとで、小南はゼツと合流した。彼らは既《すで》に木と同化している。

「ココハマダ、山道ガアル。ソレヲ目印ニ山頂ヘト進メ」

「……わかった」

会話は最低限。さっさと次の合流地点に進もうとした小南だったが、突然白ゼツが、

「ああああああー!」

と叫んだ。

敵かと思い警戒したが、彼の視線は何故《なぜ》か傍《そば》にあった木の根本に向けられている。

「……どうした」

「小南小南、見てこれ！」

「………？」

ゼツの体が木の根本に移動し、白ゼツが「これこれ」と何か指さしている。警戒を完全に解くことはせず、小南は覗《のぞ》きこむ。そして、思わず息が止まった。

「これ、小南がつけてる花にそっくりじゃない？」

そこにあったのは白い花。白ゼツが言うように小南の紙で作った花の髪飾りに似ている。

しかし、それ以上に小南を驚かせた理由があった。

ふわりと香る甘い匂《にお》い。それが、小南の記憶を呼び覚ます。


あれはそう、弥彦がまだ生きていた頃。

小南は彼と二人で国境近くの村に立ち寄ったことがあった。目的は物資補給だ。

小雨が降るこの村は交通の要衝《ようしょう》であり、様々な人々が行《い》き交《か》う場所。店には物珍しい異国の品《しな》も並んでいる。一般人を対象にした店もあれば、度重《たびかさ》なる戦《いくさ》に備《そな》え、忍《しのび》に忍具を売りさばく店もあった。

「――小南、起《き》爆札《ばくふだ》や煙玉があるぞ」

奥まったところに忍具を売る店を見つけて弥彦が品を覗きこむ。

「でも値が張るわね」

つけられた値札は資金が乏《とぼ》しい弥彦たちが手に入れるには少し高かった。弥彦たちに限らず、雨隠れの人間にはなかなか手が届かない金額だ。

「……ここは火の国に近い。木ノ葉《こ は》の忍御用達《ごようたし》の宿もあるようだ。これも、木ノ葉の忍たちに高く売りつけるつもりなんだろ」

悔《くや》しそうな表情を浮かべる弥彦に、奥にいた店主が「冷やかしなら帰っておくれ」と言い放った。

この店の店主だって、雨隠れの人間だというのに、自分の国のことなど考えていない。岩隠れや砂隠《すながく》れの忍が攻めこんできたとしても、今度は彼らに媚《こ》びを売って生きていくのだろう。

そして、雨隠れのこの村で買われた忍具が、別の雨隠れの人間を殺すのだ。

雨隠れのような小国では、国の尊厳など保《たも》てない。弥彦の悔しそうな顔を見て、小南も胸を痛める。

結局、ろくな買いものはできず、雨隠れの厳しい現状を思い知っただけだった。そうして、肩を落としながら村を去ろうとしたところで弥彦がふと足を止める。

「どうしたの、弥彦?」

不思議に思い首を傾《かし》げると、弥彦は「ちょっと待っててくれ」と言って走りだした。彼の行く先を目で追っていると、途中で弥彦が振り返り「向こうを向いててくれ!」と言う。何故だろうと疑問に思ったが、小南は素直《すなお》に背中を向けた。遠くで弥彦が誰かと何か話している声が聞こえる。やがて静かになり、こちらに駆けてくる音が聞こえた。

「……………?」

しかし、彼の足音が途中で止まる。

「弥彦?」

振り返らぬまま名前を呼ぶと、彼は意を決したように歩きだし、そのまま早足で小南の横を通り過ぎた。

慌《あわ》ててあとを追う小南に、弥彦が後《うし》ろ手《で》に何か差しだしてくる。小南は思わず目を見張った。

彼の手に、一輪の白い花があったのだ。

「弥彦、これ……」

「売りものにならなかったみたいだ」

話しながら彼は早足で進んでいく。握っている花も上下に忙《せわ》しなく揺れた。よくよく見れば茎は曲がり、花びらには傷がある。

小南はこっそり後ろを振り返った。すると、そこに花売りがいる。

あの花売りが傷ついた花を剪定《せんてい》しようとしたところで、弥彦が声をかけ、安く譲《ゆず》ってもらったに違いない。

たとえ傷ついていたとしても、太陽の光が乏しく、延々と雨が降る雨隠れにとって花は贅沢品《ぜいたくひん》。

この現状を客観的には理解できる。しかし、突然のことに呆然《ぼうぜん》と花を見つめることしかできなかった。

すると、弥彦が急に立ち止まり、やはりこちらを見ないまま、小南に花を差しだしてくる。ふわりと甘く優しい香りがする。

「小南の髪飾りに似てるだろ」

弥彦は「ガラじゃないけど捨てられるのはもったいなかったし」と早口でまくし立てた。そして、チラリと小南を見て、またすぐに目をそらす。

小南の赤らんだ頬《ほお》に気づいたからだ。

「うー、あー、その、なんだ……」

弥彦の顔も赤く染まっていく。小南はぐっと息を飲みこんで、そっと花に手を伸ばした。

小南が花を受け取ると弥彦はすぐに歩きだす。手と足が一緒に動いている。

そんな彼の背中を見ているだけで胸がいっぱいになって、小南は目尻《めじり》を指先で拭《ぬぐ》うと彼の背中に言った。

「……ありがとう……」

弥彦はやはりこちらを振り返らず、耳を真っ赤にさせたまま「おう……」と頷《うなず》いた。


「……ん、小南、どうしたの」

そこで、突然現実に引き戻される。思い出の中にあった曇天《どんてん》と雨は消え、眩《まぶ》しい光に目が霞《かす》む。

「……私は」

「呆《ホウ》ケテイタゾ」

ナニヲヤッテイルンダ、と黒ゼツが小言《こごと》を言う。小南は思わず顔を押さえ、素直《すなお》に「すまない」と答えた。その反応を意外に思ったのか、ゼツが目を丸くしている。

小南は手を下ろし、木の根本に咲く花を改めて見た。美しく咲く花は、あの日、弥彦がくれた花によく似ている。

「気になるなら取っちゃえば?」

花を見ている小南を見て、白ゼツは無遠慮《ぶえんりょ》に白い花をブチブチと引き抜いた。

「はい」

乱雑な花束が小南に差しだされる。困惑《こんわく》しながらもひとまず受け取った。

「じゃあ、ボクたち先に行ってるから」

「ハヤク来ルヨウニナ」

ゼツはそのまま、土の中へと溶けこんでいく。

彼らが去り、小南は胸元に忍ばせていた押し花を取りだした。その隣に、この白い花を並べる。

「…………」

胸がズキズキと痛み、小南は思わず顔を伏《ふ》せた。

3

「ココカラハ、北ニ見エル山ヲ目印ニ、シバラク進メ。川ヲ三ツ越エタトコロデ合流ダ」

「獣《けもの》の領域だから食べられたりしないようにねぇー」

たどり着いた山頂で、ゼツに新《あら》たな道を提示される。

正直、彼らの指示どおりに動くのは不快だったが「ああ」と答え、目的地を目指《めざ》した。白ゼツの言っていたとおり、道はなく獣の領域。木の枝を飛び移りながら周囲に気を配る。

一つめの川はすぐに越え、休むことなく駆けたが、時折、衣《ころも》の中から花の匂《にお》いがした。山のふもとで見つけた白い花を捨てることができなかったのだ。

花の香りを嗅《か》ぐとまた別の記憶が蘇《よみがえ》る。

弥彦に花を貰《もら》ったあとの話だ。

「花が……」

花を持って帰って数日もすると、花は次第《しだい》に萎《しお》れだした。紙の花とは違い、手折《たお》られた花の寿命は短い。このまま自然に帰してやるのも道かもしれないが、小南はこの花を失いたくなかった。

「…………」

そこで小南は、弥彦と長門が出払っているときに、この花を紙に包み、その上に重石《おもし》を置いて押し花を作ろうとした。

「……できた」

重石を置いてから四日後。一人の時間ができたときにこっそり花を確認する。初めて作ったので少々形が悪くなってしまったが、それでも満足だった。これで、もっと長く手元に置くことができる。

「……綺麗《きれい》だね」

「ッ!!」

そんな小南の背後から、押し花を覗《のぞ》きこむようにして言ったのは長門だった。

「な、長門」

いつの間《ま》に帰ってきていたのだろう。珍しく狼狽《うろた》える小南を見て長門が微笑《ほほえ》む。

「ここ何日か、小南がやたらと何か気にしてるように見えたけど、それだったんだね」

アジトの壁にあるかえる板をひっくり返して長門が小南の隣に座る。小南は包んでいた紙に押し花を戻して隠すように机の隅に置いた。

「怪我《けが》はなかった?」

「大丈夫だよ。弥彦もじきに帰ってくる」

「そう。だったら食事の準備をしないと」

「そうだね」

出会った頃、今にも死んでしまいそうなほどに、か細く弱々しかった長門。

輪廻眼《りんねがん》という特異な瞳《ひとみ》を宿し、その力の強大さに震えていたこともあったが、今では心身ともに立派な忍《しのび》だ。

「……なんだか急に、自来也《じらいや》先生のことを思いだしたよ」

食事の準備をしながら、長門はかえる板を見つめる。

自来也、それは小南たちに忍術を教えてくれた木ノ葉隠れの忍だ。

彼は忍術だけではなく、生きていく上で大切なことも多く教えてくれた。

「先生が去ったとき、泣いている弥彦を小南が慰《なぐさ》めていたよね。またいつか会えるって」

「ええ」

「ボクは先生に約束したことがある。だから……それを手に摑《つか》んでから、再び先生に会いたいな」

大きく成長したが、変わらないものはある。

出会った当初から心優しかった少年は、今でもその優しさを胸に抱《いだ》いていた。

争いのない世界を摑む。それが彼の願い。

弥彦も同じだ。この雨隠れを救うため、身を粉《こ》にして戦っている。

そして二人の夢は小南の夢でもある。

「そうね。私も……一緒に摑みたい」

彼らの夢を肯定《こうてい》するように頷《うなず》きながら小南は言った。すると、何故《なぜ》か長門がふふ、と笑う。

「長門？」

「……うん、なんていうのかな……最近気づいたことがあるんだけど」

「気づいたこと……？」

長門の表情は穏《おだ》やかだ。

「今はまだ、失うことだらけのこの国で、命を賭《と》して戦っているなか、そんなこと考える余裕がなかったんだけど……ううん、気づけなかったんだけど」

「？」

「小南はボクたちとは違うものを摑めるかもしれないよ」

小南はきょとんとして長門を見る。

「私が？　何を……？」

長門の視線は押し花へと向いた。

「ねぇ、小南」

長門がいたずらっぽく笑う。

「花はいつか実を結ぶよ」

その言葉の意味は、当時、わからなかった。

「血の涙を流す雲が消え、暁《あかつき》の光が万物を平等に照らし、雨隠れの大地にも花が咲き乱れれば、ボクにとって大事なものが、守りたい人が増《ふ》える日も来るのかもしれないね」

「……ッ」

小南は思わず立ち止まった。胸が痛い。

暖かい思い出は今の小南に痛みを作る。木の幹にもたれかかり額《ひたい》を押さえると、じんわりと汗が滲《にじ》んできた。

辛《つら》い環境のなか、絶望を味わいながらも這《は》いあがり、希望を宿した長門。

そんな彼は今――雨隠れの塔の中、暗い部屋にこもり、一人苦しんでいる。

頬《ほお》はこけ、あばらは浮きあがり、命をチャクラに変えながら目指《めざ》す平和は、あのとき目指した平和とは全《まった》く異《こと》なるものだ。

「ふー……」

小南は深く息を吐き額を拭《ぬぐ》う。ふと見下ろせば、木の根の周辺に枯れたように見える花があった。

「あれは……」

木から飛び降り膝《ひざ》をついて近くで見ると、山のふもとで見た花がここでは枯れていた。

どうしてだろうと不審に思ったが、小南はすぐに気がつく。

「これ……」

よくよく見れば、茎の先端にふっくらとした実。手に取り割れば、そこには種がぎっしりと詰まっていた。

恐らくここの花々は、ふもとに咲いていた花よりも先に咲き、そして実を成《な》し、次の世代へと繫《つな》げたのだろう。

そのとき森の中を風が吹き抜け、木々がしなるのと同時に小南の手のひらにのせていた種が土の上に落ちた。

「…………」

来年になれば、この種が芽を出し、葉を広げ、花を咲かせ、また実を結ぶ。


その晩、木の枝をベッドに休む小南の手には、花の種があった。

——花はいつか実を結ぶよ。

長門の言葉が蘇る。長門があのとき夢見たものが、今の小南にはわかった。

小南は種をぎゅっと握りしめる。

「だけど、今はもう……」

もはや己《おのれ》は実を結ばない花。

4

「遅カッタナ」

ようやく三つ目の川を越えたところで、ゼツが退屈そうに待っていた。どうやらペースが遅れていたようだ。

「ここからは川の上流に向かえばいいだけだよ」

彼らが言うには、上流区域は谷になっているそうで、偽《いつわ》りの谷はその谷の中腹に作られた村だったらしい。

しかし、角都と飛段によって破壊され、大規模な土砂崩れを起こしたそうだ。

「ここからあと半日ってところかな。谷がえぐれたようになっているから見ればわかると思うよ」

「道案内ハ、ココマデダ。アトハ任《マカ》セタ」

最後まで同伴するのかと思いきや、どうやら違ったらしい。

「早々に済《す》ませて雨隠れに戻る」

「……期待シテイルゾ」

川に沿《そ》って駆けていると、次第《しだい》に谷が深くなってきた。谷底を風が吹き抜け、時に川の水をさらう。それが舞いあがり霧のように小南の肌に触れた。降りそそぐ雨になれている小南にとっては、突き刺さる日差しよりも安心する感触だ。

森も次第に深くなり、人の気配など何一つしなくなる。本当にこんなところに人がいるのだろうか。

「………」

山のふもとで手折《たお》った花は、既《すで》に枯れだしている。それでも不思議なもので、香りは残っていた。この匂《にお》いを嗅《か》ぐたびに、昔の記憶が蘇《よみがえ》る。

思い出はいつも雨の中、そして、弥彦と長門がいる。しかし、三人で笑いあえた思い出は、あの日を境に消えることになる。

あの日――弥彦が死んだ日だ。

武力に頼らない平和を目指《めざ》し、賛同者を集めていた弥彦たちを雨隠れの長《おさ》、半蔵《はんぞう》が始末しようとした。

そして弥彦の命を奪《うば》う原因になったのが小南なのである。半蔵は小南を捕《と》らえ、その命を駆け引きの材料にしたのだ。

半蔵は小南を助けたければ弥彦を殺せと長門に言った。

——私のことはいいから二人ともここから逃げて!!

雨に濡《ぬ》れながら叫んだ言葉、心の底からそう思った。

自分の命などどうでもいい、二人が生きてくれればそれでいい。

しかし、そう思ったのは小南だけではなかった。

クナイを持って震える長門の手を摑《つか》み、弥彦は躊躇《ちゅうちょ》なく自分の命を差しだしてしまったのだ。

そして弥彦は息絶《いきた》えた。

しかし、あの日死んでしまったのは弥彦だけではないと小南は思っている。

長門もまた、あの日、あの瞬間、死んだのだ。

長門は〝人〟である自分を殺したのだ。

誰よりも優しく、誰よりも繊細《せんさい》で、それでも懸命に戦おうとしていた長門は、夢も希望も捨て、〝神〟になった。

——憎しみがはびこるこの世界に、本当の痛みを。

人は学ばない愚《おろ》かな生きもの。痛みを与えて躾《しつ》けるほか道はない。

そしていっときの平和を生みだす、それが長門の夢。

長門はマダラと手を組んだ。

〝暁〟には弥彦の思想とは真逆《まぎやく》の忍《しのび》が加入するようになった。

目的のためなら全《すべ》て殺す、目的のためなら全て壊す。

そして行き着く先は——


——本当にそれでいいのか？


突然、そんな声が聞こえたような気がした。

ハッと驚き顔を上げると、折《お》り重《かさ》なる木々の向こうに光が見える。そして、優しい花の香りがした。

戸惑《とまど》いながら歩を進めると、どこまでも続くと思った森の先に花畑が広がっていた。

「これは……」

雲はなく、空は晴れ渡り、日が照らすその場所には一面、白い花が咲いている。

花の香りは優しく、甘く、小南を包みこむ。

——小南の髪飾りに似てるだろ。

弥彦の声が蘇る。耳まで真っ赤《まか》にしながら、小南に花を贈ってくれた弥彦の。

——血の涙を流す雲が消え、暁の光が万物を平等に照らし、雨隠れの大地にも花が咲き乱れれば、ボクにとって大事なものが、守りたい人が増《ふ》える日も来るのかもしれないね。

長門の声が聞こえる。優しく穏《おだ》やかな声が。

そして過去の記憶が小南に訴《うった》えかけてくる。


長門をこのまま、破滅の道に進ませてよいのかと。


弥彦の望んだ道から外《はず》れ、奪わなくてよい命を奪い、もはや歩むは悪の道。

——こんなこと、弥彦が望むはずがない。

感情が波立つ、不安がこみあげる。後悔が胸を押しつぶす。

弥彦の姿が頭を過《よぎ》る。

『……小南』

彼の真《ま》っ直《す》ぐな目が、自分を見つめる。自分より幼い姿のまま。

『わかってる、小南が苦しんでいることは』

あの日からずっと、小南は思っている。

自分が死ねばよかったと。

あのとき、自《みずか》ら命を絶《た》ち、弥彦と長門を逃がしていればこんなことにはならなかった。

小南が死ねば彼らは悲しんでくれただろう。

しかし、きっと彼らは立ちあがる。

弥彦がいれば長門を明るい世界に導《みちび》いてくれる。

そしていつか平和を摑み、三人で暮らしたあのアジトで、自来也を招き語りあうのだ。

そこで、小南の名前も出してくれればそれでいい。

それでも二人が笑ってくれればそれでいい。

しかし、弥彦は死んでしまった。そして小南では長門を正しい道に連れていくことはできない。

全てを歪《ゆが》めたのは小南なのだ。

『もう止《や》めよう』

弥彦が苦しげな表情を浮かべ、小南に手を差しのべる。

彼は言った。

『せめて小南だけでも救われてくれ……』

「……誰だッ!!」

そこで、小南は叫んだ。手を髪飾りに添え、その紙の一つを抜き取り、正面に投げつける。紙は紙手裏剣《かみしゆりけん》となって咲き乱れる白い花に突き刺さった——ように見えた。

しかし、花は花弁を散らすことも傷つくこともなく変わらず咲いている。確信を得た小南は両手を合わせた。

「解《かい》!!」

それと同時に、世界が歪む。

「これは……」

咲き乱れていた花は消え、小南の足下《あしもと》、一歩進んだ先は谷底へと続く奈落《ならく》だった。花畑があった場所は崖《がけ》が崩れ、ぽっかりと穴があいていたのだ。穴の周辺は粘土《ねんど》のように硬くなった土が剝《む》き出《だ》しになっている。

小南は確信する。ここが〝偽りの谷〟だと。

「チッ、幻術《げんじゆつ》を解いたか!」

そこで背後から何者かが飛びかかってきた。ここでは足場が心許《こころもと》ない。小南は谷の対岸へと跳躍《ちようやく》する。

広い森の中、そこだけは大木が倒れ土の中に埋まっていた。飛段と角都が戦った名残《なごり》なのかもしれない。

「……村の敵だ、逃がさねぇぞ!」

敵は男が一人。この男がマダラたちが言っていた忍で間違いないだろう。小南は息を吸いこみ力を込める。そして体から紙を飛ばそうとしたところで再び脳裏《のうり》に声が響《ひび》いた。

――小南、もう止めるんだ。

それは弥彦の声だ。

「……ッ」

今度はそれだけではない。

「……! 弥彦……」

彼が目の前に立っている。

――もういいんだ、小南。頼む。お前だけでも救われてくれ。

彼の声とともにふわりと甘い香りがした。甘い、甘い、この香り――

「……これかッ!」

小南は胸元から白い花と種を取り出し投げ捨てた。花の匂いが遠のき、弥彦の姿が薄れる。しかし完全には消えない。小南は花の香りが染《し》みこんでいた〝暁〟の衣《ころも》も脱ぎ捨てる。

──小南。

なのに小さく聞こえる弥彦の声。伸ばされる手。

小南は意を決し、押し花を包んでいた手すき和紙を取りだした。

「弥彦を侮辱《ぶじょく》するなッ！」

その紙にチャクラを練《ね》りこみ、弥彦の幻影に投げつける。紙手裏剣となったそれは幻影をすり抜け、そして。

「ギャッ……！」

幻影の背後から小南を襲おうとしていた男の眉間《みけん》に突き刺さった。

幻術が完全に解けた小南は、大量の紙を生みだし男を襲う。

「ひぃ……！」

体中に紙が貼《は》りつき、まるでさなぎのように体を覆《おお》われた男はその場に倒れこんだ。

「クソッ、オレの花幻嗅《かげんきゆう》の術が破られるなんて……ッ！」

小南は足下に転がる男を見下ろす。

「嗅覚《きゆうかく》刺激による幻覚か」

恐らくこの男は幻覚作用のある香りを花に宿すことができるのだ。それは生花に限ったことでもなかったらしい。ただ、匂いが離れてしまえば幻術も薄れる。

「何故《なぜ》気づいた！　この幻術は記憶をなぞり、どんな人間でも戦意を喪失《そうしつ》させる術なんだぞ！」

「嘘《うそ》だらけだからだ」

小南は吐き捨てるように言う。

「弥彦が私に長門を見捨てさせるような真似《まね》なんかするはずがない」

確かに、白い花畑を見たあのときから、嘘だらけ。

自分の所為《せい》で弥彦は死んだ。それを後悔している。自分が死ねばよかった、そう思ったこともあった。

だが、長門を非難するような気持ちは一切《いっさい》ない。

小南は弥彦と長門を信じている。たとえどんな道を歩もうとも、その全てを肯定し続ける。何故なら小南にとって彼らが全てだからだ。

小南は男を見下ろした。

「お前は私の大事な人たちを汚《けが》した」

もはや小南も、血に濡《ぬ》れすぎた。

5

肉塊《にくかい》と化した死体を背に小南は歩きだす。男はマダラが言ったとおり、岩隠れの忍《しのび》で四《よん》尾《び》の人柱力《じんちゅうりき》とも面識があったようだ。

しかし、側近《そっきん》というほどでもなく、四尾の人柱力がどこにいるかもわからないらしい。

結局無駄足だ。

「………」

土の上には弥彦がくれた花、押し花が落ちている。

思い出は甘く美しい。日に照らされた色鮮《あざ》やかな世界は、咲き乱れる美しい花は、小南に別の道があるかのように囁《ささや》く。

しかし、小南が最も美しいと思う花は、あの雨が降り続ける国にあった。

小南は花を踏みつけ走りだす。

弥彦と長門の思いは、未《いま》だ枯れていないのだから。

「……あれだけお膳《ぜん》立《だ》てしたのに情けないね」

土の中から顔を出し、去っていく小南の背中を眺めながら白ゼツが呟《つぶや》く。

「ねぇ、オビト?」

呼びかけに森の奥で一部始終を見ていたオビトが姿を見せた。

マダラと名乗り暗躍しているが、それは仮の姿であり偽《いつわ》りの姿でもある。

「小南が死ねば、長門の憎しみもいっそう強化されるんじゃないかと思ったんだがな……」

仮面の奥、写輪眼《しゃりんがん》の瞳《ひとみ》は感情など映さない。

「小南ハ、オレタチニ対シテ、ドコカ反抗的ダシナ」

「初めてあいつらに出会ったとき、弥彦が小南に、オレには近づくなと言っていた。多分小南はそれを覚えている」

彼女が信じるものは、弥彦と長門だけなのだ。

「ただ、長門さえいれば裏切ることもないことはわかった」

彼女にとって最も弱いであろう部分を攻撃しても揺るがなかったのだ。心配はいらないだろう。

「この件は終わりだ。やることは山ほどある。行け」

「はいはい、わかったよ」

「マックタク、オビトハ人使イガ荒イ」

オビトの言葉にゼツは姿を消す。

風が吹き抜け、オビトの衣《ころも》が揺れた。

「全《すべ》てはオレの手のひらの上……」

見下ろした手のひらを、月の見えない真昼の空に伸ばす。

「待っててくれ、リン……」


元は、血の雨に泣く国を照らすための光だった。

いつしかそれは意味を変え、形を変え、一番深い闇《やみ》へと変わった。

――〝暁〟。

刻《きざ》まれた名は悪として、英雄たちとともに永遠に残っていくのだろう。

〝暁〟は――消えない。

エピローグ

「……ボクたちの家族は〝暁《あかつき》〟に殺されたんです」

旅の道中、出会った幼い兄弟、オオミツとコミツ。

弟のコミツにねだられ、サスケは彼に紙手裏剣《かみしゆりけん》を教えてやった。

兄弟の姿にかつてのサスケとイタチを思いだし、穏《おだ》やかな気持ちを感じていたのだが、西の夕日を眺めながら呟《つぶや》かれた言葉にサスケの胸が締《し》めつけられる。

当時、闇《やみ》に染まったサスケは多くの者を手にかけた。奪《うば》った命の数も名前も、全《すべ》ては覚えていない。

もしかすると、サスケがこの兄弟の大事な人を奪った可能性もあるのだ。

これが、己《おのれ》が背負った罪《つみ》なのか。サスケは痛烈に自覚する。

「おいこら、ガキンチョども！」

そこで、突然背後から怒鳴《どな》り声《ごえ》が聞こえた。オオミツとコミツは焦《あせ》った様子《ようす》で振り返る。

「花を踏むなっていつも言ってんだろ！」

現れたのは、サスケよりも年上であろう男だ。

「キ、キイロ兄ちゃん……！」

どうやらこの二人には更《さら》に兄がいたようだ。二人は慌《あわ》てて足下《あしもと》を確認し、花を避《よ》ける。

キイロは「よし」と言いながら視線をサスケに向けた。

「……ッ！」

そして、ハッとした表情を浮かべたのだ。

「アンタ……いや、あの人は死んだはずだ……」

サスケの顔を見て、思いだしたらしい〝誰か〟。サスケはすぐに察知する。この男はイタチを知っているのだと。サスケの中に、ある可能性が芽生《めば》えてくる。

「キイロ兄さん、この人……サスケさんがコミツを助けてくれたんです」

サスケとキイロの間で流れたピリッとした空気には気づかず、オオミツがキイロにサスケを紹介した。

「コミツを……？」

「コミツ、崖《がけ》から落ちそうになって」

「あああ、オオミツ兄ちゃん、それはジーだよ、ジー！」

「シーでしょ」

慌てて誤魔化すコミツだがキイロの鋭い目に負けて「ごめんなさい」と項垂《うなだ》れた。

「……弟を助けてくれたんだな。ありがとう」

「いや……」

感謝の言葉を素直に受け取ってよいのかどうかわからず口を閉ざすサスケを見て、キイロも何か感じとったようだ。彼はオオミツとコミツに「家からあれを持ってきな」と声をかける。

二人は表情をパッと明るくさせて「わかった！」と走っていった。

残ったのはサスケとキイロ、二人だけ。もはや無駄な会話は必要ないだろう。

「イタチを知っているのか」

単刀直入に聞けば、キイロは「ああ」と頷《うなず》いた。

「昔、霧隠《きりがく》れで兄貴と一緒に忍《しのび》をやっていたことがある。そのとき、霧隠れの怪人、干柿《ほしがき》鬼鮫《キサメ》と戦うことになった。そこに、うちはイタチもいた」

〝暁〟でイタチが組んでいたのが干柿鬼鮫だ。サスケの脳裏《のうり》にコンビを組んでいた頃の二人が蘇《よみがえ》る。

「オオミツが、〝暁〟に家族を殺されたと言っていた」

「……ああ。そのとき、兄貴がな」

聞いてサスケは後悔した。オオミツとコミツに関《かか》わってしまったことをだ。家族を殺した男の弟とはしゃいでいただなんて、彼らにとって苦痛でしかない事実ではないか。

イタチと直接戦ったというキイロも、サスケを見て古傷をえぐられるような思いでいるかもしれない。

イタチが背負ってきたものの大きさをサスケは知っている。しかし、イタチに家族を殺されたこの兄弟に、それを理解してくれと言う気はもはやなかった。自分の世界にこもっていたときとは違い、今のサスケはこの兄弟の痛みも察することができるからだ。

ただ、それでもイタチの立場を考えるとサスケ自身の胸が痛む。そしてなにより、サスケ自身も己の目的のために〝暁〟に在籍していたのだ。彼らの家族を奪った存在の一部であることには変わりない。

自分のような人間は安易《あんい》に人と触れあってはいけないのではないか。己の罪の深さにサスケはそう思う。

「でも、兄貴を殺したのはオレなんだよ」

しかし、そこで、キイロが思いがけない言葉を放《はな》った。無意識のうちに落ちていた視線が上がる。

「オオミツとコミツにも話したんだがな。理解するまでまだ時間がかかるんだろ」

「どういうことだ」

「自分の力を過信し、名をあげることに必死になっていたオレは、兄貴の制止を聞かず、うちはイタチと干柿鬼鮫に戦いを挑《いど》んだ。その結果、兄貴が死んだ。どう考えてもオレの所為《せい》だろ？」

キイロはそう言って息を吐く。

「そんなバカな弟を、それこそ命がけで……兄さんは守ってくれた」

彼の視線は兄を偲《しの》ぶように茜《あかね》さす西の空へと移動した。

「オレの兄貴は、特殊でな。生まれたときから体に蜂《はち》を飼ってたんだ。危害を加えようとする存在を攻撃する毒蜂と……兄貴の体内で、兄貴のチャクラをエサに特殊な蜜《みつ》を作るミツバチだ」

それは木《こ》ノ葉《は》の油女《あぶらめ》一族のようなものだろうかとサスケは想像する。

「ローヤルゼリーっていうんだけどな。ミツバチたちは兄貴のチャクラを喰《く》って、生命の源《みなもと》にローヤルゼリーを貯《た》めこむ……そう、心臓にだ」

キイロが親指でトン、と自分の心臓を指さした。

「生まれたときから貯め続けてる、生命エネルギーみたいなもんだよ。兄貴は〝暁〟の二人を欺《あざむ》くために毒蜂でオレを仮死状態にさせて、それを流しこんだ。兄貴の心臓から、オレの心臓に。それで、兄貴は死んだ」

兄から弟へ、注《そそ》ぎこまれた命。語るキイロの周《まわ》りには、蜂が数匹飛んでいる。もしかすると、その珍しい術も一緒に引《ひ》き継《つ》がれたのかもしれない。

「だからさ。〝暁〟がどうこうって話じゃねーんだよ。それに」

西の空を眺めていたキイロの視線がゆっくりとこちらに向く。

「多分、イタチは、オレが生きていることも、オレの兄貴がやろうとしていることも気づいていた。なにせ、写輪眼《しゃりんがん》を持っているからな。それでもとどめを刺さなかった」

キイロはサスケの顔をじっと見た。

「放っておけば死ぬって思ったのかもしれねーけど、あれだけの忍がみすみす見過ごすとは思えない。なんでだろうってずっと思ってたんだけど、謎が解けた気がするわ」

谷底から穏やかな風が吹く。白い花の花弁が飛ぶ。キイロはフッと微笑《ほほえ》んだ。

「イタチにも弟がいたからなんだろうな」

思いがけない言葉に、サスケは目を見開く。キイロは「オレはさ」と続けた。

「あれから忍の世界から退《しりぞ》いて、弟たちと花の蜜を求めて一緒に旅をしてたんだ。今はここで、この花の蜜をとって生活している」

キイロは膝《ひざ》をつき、そっと白い花に手を添える。

「この花の蜜は希少価値が高くて薬にもなるんだ。本来、もっと山を下ったところに生《は》えてるんだがな。鳥か獣《けもの》がここまで種を持ちこんだのか、群生しているのを見つけた。オレがそれを広げて今じゃ花畑だ。ま、少量ずつしかとれないもんだから、生活カツカツだけどよ。今は、なんつーか、結構いい感じで生きてんだよ」

そう語るキイロの表情には、言葉どおり生気が漲《みなぎ》っている。

「んで、こうやってオレが生きてんのは、オレの兄貴と、アンタの兄貴のおかげだ。知らないところで、意外なものが繋《つな》がってたりするんだぜ。感謝してるよ、オレは」

己の未熟さが兄を死に至らしめたとはいえ、〝暁〟が兄を奪ったことには違いないだろう。それでも感謝していると言えるのは、彼が己の罪と向かい合い生きている証拠なのかもしれない。しかもそれを、イタチの弟であるサスケに正直に打ち明けているのだ。その強さの源は何なのか。そう考えたとき、突然、崖の下からドオオオンという爆発音が聞こえてきた。一体何事だと警戒したが、キイロが慣れた様子で「ああ、大丈夫だ」と答える。

「この下に、陶芸の窯《かま》があんだよ」

「陶芸の窯……？」

「ああ。特別な陶芸品でさ。ここらへんにしかない、泥みてーな粘着性《ねんちゃくせい》のある土を使って作ってるんだとさ」

そう言いながらも、彼は心配するように崖の下を覗《のぞ》いている。そこで、左手の薬指に、白い陶器の指輪がはめられていることに気がついた。

その指輪には、美しい花模様が浮かんでいる。

「兄ちゃーん！」

日は沈み、空は次第《しだい》に藍色《あいいろ》。そこへ、オオミツとコミツが戻ってきた。

「……………？」

見ればオオミツが小さな赤ん坊を抱いている。

「おいおい、なんでこいつを連れてきたんだよ。ようやく寝かしつけたってのに」

キイロが持ってくるようにと言ったのはこの赤ん坊ではないらしい。

「家に一人じゃ寂《さび》しいかと思って」

オオミツの言葉にキイロは苦笑して「まぁ、そうだな」と言って赤ん坊を抱きあげた。

兄弟に見せる表情とはまた違う、どこか頼もしい顔は、父の顔。

「チキンとこれも持ってきたよ！」

「きちんね」

オオミツの後ろからコミツが右手を高く持ちあげている。その手には小さな瓶《びん》が握られていた。キイロはそれを受け取り、サスケに差しだす。

「これは……」

「蜂部《はちべ》の蜂蜜だ。弟を助けてくれた礼だよ」

「一舐《ひとな》めしたら、すっごく元気になるんだよ！」

今度は言い間違えずにコミツが言う。透明な瓶の中でキラキラと輝く蜂蜜。キイロの腕の中で眠る赤ん坊。そして、明るい笑顔を浮かべる彼ら兄弟を見てサスケは瓶を受け取り、頭を下げた。

大戦で、多くの人が多くのものを失った。

しかし人はこうやって懸命に生きている。

「また来てね、サスケ兄ちゃん！」

「本当にありがとうございました！」

別《わか》れ際《ぎわ》、離れていくサスケにオオミツとコミツがいつまでも手を振っている。

そんな二人の隣で、キイロが声をあげた。

「なぁ、サスケ！」

最後の最後にキイロが問う。

「お前の兄貴も優しかったかッ？」

その言葉に、胸がぎゅっと締めつけられる思いがした。

しかしサスケはしっかり彼ら兄弟を見つめ答える。

「ああ！」

〝暁〟にも家族はいる。

〝暁〟にも愛したものがある。

彼らもまた、忍であり、人なのだ。

NARUTO-ナルト-
暁秘伝 咲き乱れる悪の華

2015年7月8日 第1刷発行
2022年6月6日 第9刷発行

著者 岸本斉史◎十和田シン
編集 株式会社 集英社インターナショナル
〒101-8050 東京都千代田区一ツ橋2-5-10
TEL 03-5211-2632(代)
装丁 高橋健二+川畠弘行(テラエンジン)
担当編集 六郷祐介
編集協力 添田洋平(つばめプロダクション)
編集人 千葉佳余
発行者 瓶子吉久
発行所 株式会社 集英社
〒101-8050 東京都千代田区一ツ橋2-5-10
TEL 03-3230-6297(編集部)
03-3230-6080(読者係)
03-3230-6393(販売部・書店専用)
印刷所 共同印刷株式会社

Printed in Japan ISBN978-4-08-703367-0 C0093

本書は書き下ろしです。

NARUTO -ナルト- 小説シリーズ
累計230万部突破!!
秘伝シリーズ
サクラ、木ノ葉病院内に新施設創設!!
【サクラ秘伝】
思恋、春風にのせて
秘伝シリーズ
六代目火影より特別任務発令!!
【木ノ葉秘伝】
祝言日和
◎ナルトとヒナタ結婚!!
秘伝シリーズ
風影・我愛羅、20歳に!!
【我愛羅秘伝】
砂塵幻想
秘伝シリーズ
サスケ、"暁"に家族を殺された兄弟と出会う
【暁秘伝】
咲き乱れる悪の華
真伝シリーズ
うちはサスケ贖罪の旅の真実!!
【サスケ真伝】
来光篇
JC72巻
【700:うずまきナルト!!】
◎ナルト、七代目火影となり木ノ葉を治める!!
数カ月後
数カ月後
現在
10数年後
◀下段へ続く…
新伝シリーズ
「親子の日」創設!!忍親子の短編集!!
【ナルト新伝】
親子の日
新伝シリーズ
サラダたち新第七班とサスケが共同任務に!!
【サスケ新伝】
師弟の星
新伝シリーズ
五影会談紛糾!!シカマルの一手とは?
【シカマル新伝】
舞い散る華を憂う雲
烈伝シリーズ
カカシが落ちこぼれ少年の家庭教師に!!
【カカシ烈伝】
六代目火影と落ちこぼれの少年
烈伝シリーズ
夫婦にして相棒、サスケとサクラが挑む!!
【サスケ烈伝】
うちはの末裔と天球の星屑
烈伝シリーズ
ナルトと大蛇丸が共闘!!
【ナルト烈伝】
うずまきナルトと螺旋の天命
JC【BORUTO-ボルト- -NARUTO NEXT GENERATIONS-】へと続く!!

つながる!!
忍者学校《アカデミー》時代!!!!
七代目
全5冊で
忍者学校《アカデミー》生活の
すべてがわかる!
イラストは
池本幹雄 先生
描き下ろし!
BORUTO
-ボルト-
-NARUTO《ナルト》 NEXT《ネクスト》 GENERATIONS《ジェネレーションズ》-
NOVEL